W9-CQL-916

читайте романы королевы психологической интриги

анны Даниловой

&

CRIME & PRIVATE

анна Данилова

ТРИНАДЦАТАЯ ГОСТЬЯ

Москва
2014

УДК 82-3
ББК 84(2Рос-Рус)6-4
     Д 18

Оформление серии *В. Щербакова*

Ранее роман «Тринадцатая гостья» выходил под названием
«Куклы на чердаке» под псевдонимом Анна Дубчак

Данилова А. В.

Д 18   Тринадцатая гостья : роман / Анна Данилова. — М. :
          Эксмо, 2014. — 288 с. — (Crime & private).

          ISBN 978-5-699-70091-2

Когда Наташа Вьюгина приняла приглашение неизвестной девушки приехать в Мюнхен, она и не догадывалась, что ожидает ее в доме Сони Муравьевой-Бехер, почему-то выдающей себя за подругу детства Натальи. Но таинственные события в особняке с каждым днем все сильнее убеждают девушку: на сей раз она, похоже, влипла в не просто криминальные неприятности, но и... мистические. Соня рассказывает о макете ее дома, находящемся на чердаке. В нем с недавних пор начали появляться куклы, копирующие реальных людей. Наташа согласна помочь Соне разобраться со всеми странностями, но ее мучает всего лишь один вопрос — почему Софи только сейчас вспомнила о подруге и позвонила именно ей в трудную минуту?..

                                      УДК 82-3
                                      ББК 84(2Рос-Рус)6-4

1.

Мюнхенская полиция в среду поймала женщину, попытавшуюся ограбить шесть банков в течение менее трех часов. Как сообщает Associated Press, грабительницу выследили и арестовали в парикмахерской. В операции принимали участие сотни полицейских.

Тридцатитрехлетней преступнице, имени которой полиция не раскрывает, удалось украсть четыре тысячи девятьсот семьдесят пять долларов из четырех банков, расположенных в центре южногерманского города. Однако в двух отделениях банков ей не посчастливилось, несмотря на то что женщина была вооружена пистолетом.

По сведениям полиции, на ней был черный плащ, но она была без маски. Сначала ей удалось скрыться от полиции, затерявшись в толпе, и только через несколько часов полицейским удалось ее выследить вновь.

По словам одного из полицейских, ему еще никогда не приходилось сталкиваться со столь дерзкой грабительницей...

Экземпляров этой газеты было шесть. И все они были надежно спрятаны, в разных местах, но все равно — под рукой. Эти десять строк, которые она перечитывала время от времени, придавали ей сил, кружили голову. Где бы она ни находилась, о чем бы ни думала, мысли ее все равно возвращались к этому...

Она слышала в свое время множество комментариев по поводу этой газетной заметки, и все они, несмотря на внешнюю добропорядочность высказывавшихся, были преисполнены восхищения этой женщиной в черном плаще — дерзкой, решительной, отчаянной. Никому как-то и в голову не приходило посочувствовать всем тем, кто находился в момент ограбления в банке, и, тем более, владельцам ограбленных банков. «...И только через несколько часов полицейским удалось ее выследить вновь...» Как бы не так! В газетах всегда так пишут, чтобы представить полицию в выгодном свете и чтобы людям жилось спокойно, чтобы они по-прежнему с уважением относились к банкам...

Но ей-то нет никакого дела ни до банков, ни до полиции. Возможно, ей есть дело до этого черного плаща, который она носит практически три сезона подряд и который, как панцирь, охраняет ее от всех напастей и придает ей, как и эта газетная вырезка, сил. Длинный черный плащ, который она стягивает на талии широким поясом, настоящий непромокаемый макинтош классического покроя, большой, уютный и надежный...

За окном шел дождь, он поливал огромный запущенный сад, собираясь в кронах разросшихся старых яблонь и вишневых деревьев, в лепестках буйно цветущих бордовых, желтых, лиловых и белых хризантем. Мраморный ангел за окном (старинная фигурка — деталь незамысловатого фонтана), опустившись на одно колено, продолжал задумчиво смотреть на чашу, полную воды, и на плававшие в ней оранжевые рябиновые листья, и ему все было нипочем. Даже зимой, в морозы и метели, он, занесенный снегом, заледеневший, оставался неподвижен, спокоен и умиротворен, словно все, происходившее вокруг, его не касалось. Это было свойство мрамора, свойство ангела, свойство особой философии, которая была так близка и ей.

Под шум дождя, ежась, словно холодная вода затекала ей за ворот, молодая женщина набросила на плечи черный плащ, подошла к высокому, в резной деревянной раме, зеркалу и долго смотрела на свое отражение, погружаясь в него все глубже и глубже, увязая в своих мыслях, мечтах и обидах. Обиды. Их было слишком много, чтобы бездействовать, чтобы все забыть и простить.

2.

Москва, август 2008 г.

Из криминальной сводки.

«Вчера, двенадцатого августа, в собственной квартире по улице Щепкина, был найден убитым известный в университетских кругах ученый-физик Иоахим Фогель. Смерть сорокалетнего мужчины наступила вследствие трех проникающих ножевых ранений. Преступник — предположительно бомж. Свидетели-соседи утверждают, что видели — в период, когда было совершено преступление, — невысокого, плохо одетого и очень грязного мужчину, спускавшегося на лифте с двумя большими мешками. Преступником были украдены ценные вещи убитого, деньги и продукты на общую сумму около пятидесяти тысяч рублей. Ведется следствие».

3.

Село Страхилица (Болгария) октябрь 2008 г.

Красоты хотелось так сильно, так — прямо до скрежета зубовного. Быть может, поэтому я с таким нетерпением ожидала возвращения из Испании Нежмие. Нежмие отправилась три месяца тому назад на «ягоду» (страшная жара, бескрайние плантации земляники, палящее солнце и работящие, безмолвные в своем упорном, хорошо оплачиваемом труде, женщины, собирающие «ягоду» — болгарки, румынки, марокканки, «полякини»), изредка посылала мне, единственной «русскине» в Страхилице, сигнал со своего мобильного, что означало: я здесь, Ната, не забывай меня! И я не забывала, на последние деньги звонила ей, спрашивала, как дела, рассказывала ей о ее детях, оставшихся с ее мужем и свекровью: что они живы-здоровы, что Бейсим, сынишка шести лет, растолстел из-за непомерного поедания брынзы и вафель, а Ниляй, ее дочка — тоненькая тринадцатилетняя копия своей черноволосой матери, — научилась красить губы и ресницы.

Красота — в моем понимании, истосковавшейся по цивилизации женщины и по всему тому, что прежде составляло мою прошлую жизнь, — заключалась на тот момент в большой испанской расписной тарелке в полстены, которую я заказала подруге. «На худой конец, — говорила я, провожая Нежмие на автобусной станции и с трудом сдерживая слезы, — привези мне кружевной веер, парочку кастаньет, мантилью, куклу в платье «с горохами», туфли для фламенко; не откажусь я и от майки с изображением черного быка или ветряной мельницы, не говоря уже об изящном кинжале из толедской стали...»

Турчанка Нежмие, слабо понимавшая, что говорит ей на малопонятном языке русскиня Ната, кивала головой, глотая слезы, и оглядывалась по сторонам в ожидании софийского автобуса. Это было начало апреля, солнце припекало, но воздух был еще прохладен, свеж. Мы обе понимали, что в Испании ее ждет теплая солнечная весна и тонны земляники. А еще — тяжелая работа, работа...

Ее не было целых три месяца, жизнь шла своим чередом, я продолжала жить в крохотной деревне на северо-востоке Болгарии, здороваясь по утрам со своими курами и козами, а вечером пытаясь за просмотром русских сериалов забыть о своих страхах и кошмарах. (А вся Европа в это время лакомилась огромными, с детский кулак, клубничинами, собранными такими же сильными и ответственными женщинами, как Нежмие.) В июле Нежмие вернулась. С подарком для меня — с белой фарфоровой салатницей ценою в один евро. Загоревшая, какая-то обновленная, со сверкавшими глазами, и сказала с извиняющейся улыбкой, что с тарелкой в полстены для меня не получилось. «Знаешь, Ната, я могла бы поехать на следующей неделе снова туда же. Но там — змеи, много змей! Одну женщину укусила змея, кажется, она из Румынии, так вот: у родственников не нашлось двух тысяч евро, чтобы доставить тело домой, ее похоронили, я думаю, в общей могиле, там, в Испании». Она говорила на смеси турецкого и болгарского языков, но очень надеялась, что это сносный русский. Главное, что мы понимали друг друга.

Ближе к осени снова с той же самой автобусной станции — я опять отправляла ее, великую труженицу, в Испанию — уже на «грозди» (виноград). Возвращалась она в конце октября, и вот теперь, уже по дороге в Страхилицу, позвонила мне и закричала в трубку: «Ната, я везу тебе голяму чинию (большую тарелку) и покрывку за маса-то».

Я ждала ее темным от синих ледяных туч и тоскливого дождя вечером, сидя в маленькой кухне у окна, всматриваясь в сине-зеленый, размытый водой пейзаж и утопая в глухом, непробиваемом одиночестве. Я знала, что Нежмие, спустившись на желточном мини-такси в низину нашей деревни, первым делом поедет домой, быть может, по дороге бросит немного грустный взгляд в сторону моего маленького «музейного» дома, а потом ее поглотят семья, улыбки и восторг детей, подарки, разочарования, усталость...

Так все и случилось. Я прождала ее весь вечер, разленилась, устала смотреть в окно. Когда мимо него промелькнуло желтое пятно такси, сердце мое сначала учащенно забилось, но потом вновь вернулось к своему прежнему усталому ритму. Выходить из дома в дождь мне не хотелось. Но я заставила себя это сделать. Накинула толстый резиновый плащ, оставшийся в этом доме от прежнего хозяина — пастуха, вышла, закрыла курятник, подоила коз, вернулась, вскипятила молоко и вновь села у окна. Желтый электрический свет делал это убогое жилье, куда меня загнала судьба, более или менее сносным. В печке потрескивали дрова. Это был приятный, теплый звук. От печки исходил жар. Такого жара не бывает в городских квартирах в России.

И вдруг — стук в дверь. Я уже и не надеялась увидеть кого-то в тот день. Мысленно я уже готовилась ко сну.

— Нежмие! — Я вскочила и бросилась открывать дверь.

Однако это была вовсе и не Нежмие, а Айше — почтальонша из соседнего села Черна (в Страхилице почты никогда не было), доставлявшая нам раз в неделю почту. Ее привозил в Страхилицу муж, кмет[1] Черна, на стареньком «Фольксвагене», в любую погоду, исключая условия обложного снегопада. Поскольку Страхилица — деревня (тридцать домов и разрушенная до основания мечеть), в которой живут одни турки (так уж сложилось исторически), поэтому в стопке болгарских газет и журналов непременно было несколько журналов или брошюр на турецком языке, некоторые из них — обязательно религиозного содержания, плюс письма, повестки в суд (к сожалению, они доставлялись нашим жителям с большим опозданием, а потому почти всегда суды в областном городе Шумен, расположенном в двадцати семи

---

[1] К м е т — человек, исполняющий обязанности, схожие с обязанностями мэра в деревне.

километрах от села, проходили в отсутствие жителей Страхилицы — непосредственных истцов или ответчиков), пачку объемных желтых конвертов «Риджерс Дайджест».

— Привет, Айше, — протянула я несколько разочарованно (ведь я ждала Нежмие!), хотя искренне была рада увидеть эту приятную розовощекую голубоглазую женщину.

Она разговаривала со мной на ломаном русском, но это у нее получалось так мило, что всегда вызывало у меня улыбку. Ей тоже нравилось говорить со мной на русском, и она каждый раз, когда представлялась такая возможность, принималась петь «Калинку» или «Там вдали, за рекой...».

— Заходи, Айше.

— Няма время.

Она сунула мне пакет с почтой, улыбнулась, стряхнула с капюшона черной теплой курточки дождевые капли и хотела было выйти, как вдруг лицо ее просияло:

— Ната, там письмо для тебя!

Как это — письмо? Этого не может быть! Это совершенно исключено! Разве что письмо с надписью: «Единственной «русскине» с. Страхилицы». Без имени адресата, конечно. В это еще можно поверить. Но таких писем не может быть в принципе. К тому же нет никого на всем белом свете, кто бы знал мой настоящий адрес. Я все для этого сделала, я постаралась! Чтобы избежать чувства стыда и проклятия.

Я посмотрела на Айше весьма растерянно. Она что-то напутала, эта голубоглазая красивая Айше.

Однако в пачке банковских писем... Ох уж эти банковские письма! Время от времени на деревню обрушивается шквал красивых фирменных конвертов — это банковские уведомления гражданам — клиентам банка о том, сколько у них денег на счету. Словно они, нищие болгарские турки, не знают, сколько левов на их счетах! Однако каждый из них (удивительное дело!) получает эти конверты с важным видом, словно такие люди, как они, на самом деле могут быть интересны банку своими мизерными счетами...

...Однако в пачке банковских писем затесался красивый длинный голубой конверт с красивейшими марками. В окне конверта, за прозрачной пленкой, я прочитала нечто невозможное:

«NataliyaVyugina

Strahilitsa

Shumen

Bulgariya».

Наталия Вьюгина — это я. Второй такой нет, я думаю, во всей Болгарии. И название деревни невозможно спутать ни с какой другой. Определенно, это письмо адресовано мне!

— Из Алмания, — подсказывает мне, заглядывая через плечо, Айше.

Алмания — это, по-ихнему, Германия. Час от часу не легче! Я поняла бы еще, если бы это письмо пришло мне из Москвы, где когда-то был мой дом, где у меня была семья, где меня все любили, как это ни странно. Но так было до тех пор, пока я не совершила... нечто. Теперь семья моя, может, и есть на свете по-прежнему, мои родители, вероятно, живы, но видеть меня они уж точно не хотят.

— Спасибо, Айше.

Вскрывать конверт в ее присутствии мне не хотелось. Она это поняла и ушла. Я проводила ее до самой калитки. Мой пес Тайсон облаял ее с головы до ног, купаясь в дожде, грязи и мокрой пожухлой траве.

— Тайсон! Это же Айше! — крикнула я ему, со стыдом вспоминая, что я забыла дать псу его вечернюю пайку — молоко с хлебом. Он растолстел, этот Тайсон (милая смесь спаниеля и дворняги), и даже прилипшая к его телу мокрая шерсть не сделала его ходячим скелетом, как всех местных собак. Видно было, что он завидный толстяк («Ната, ты так кормишь своего Тайсона, как мы не едим!»).

Айше помахала мне рукой, села в машину и уехала.

Тайсон, отлаяв положенное, смотрел на меня выжидательно-весело — мол, видишь, Вьюгина, я заработал свой ужин, не пускал Айше в дом!

— Я люблю тебя, Тайсон. — Я погладила высунувшуюся из будки мокрую морду собаки и сказала: — Я сейчас.

Конверт, красивый, голубой, лежал на столе, пока я готовила ужин для Тайсона: парное козье молоко, хлеб. Смешав все это в миске, я отнесла еду Тайсону, вернулась и села, будучи не в силах оторвать взгляда от конверта. Это было послание из Munchen — Мюнхена. Вот так. Больше того, я разглядела даже имя адресата: Sofi Bechner, Софи Бехер.

Кто такая? Почему я ее не знаю? Главное, это женщина. В последние два-три года я не доверяю мужчинам. Я боюсь мужчин. Я ненавижу мужчин! И у меня на это, как говорится в одной дурацкой песенке, тысяча причин. Вернее, одна: смертельный страх. Мужчина по имени Тони, вернее, мальчишка по имени Тони, виновен в том, что я теперь — здесь. Не в Москве, в комфортабельной квартире на Цветном бульваре, рядом с любящими меня родителями, а в глухой болгарской деревне, где единственными близкими мне существами являются собака Тайсон, козы да несколько кур-несушек. И у меня часто нет денег на самое необходимое. Я давно уже покупаю себе вещи «вторая рука» — то есть секонд-хенд — и ем то, на что мне удается обменять молоко, яйца плюс то, что вырастает на моем большом запущенном (мой первый крестьянский опыт был не совсем удачным) огороде. Сто левов (пятьдесят евро) мне платит женщина по имени Нуртен — жена самого зажиточного крестьянина Страхилицы Эмина. Я помогаю ей по хозяйству. Иногда она дает мне мясо, мед, брынзу. Однажды она связала и подарила мне теплые цветные терлицы[1].

Я живу в Страхилице уже около двух лет. Стала привыкать к туркам и их образу жизни. Каких только имен я тут не услышала — некоторые просто невозможно запомнить, они ни с чем не ассоциируются.

И вдруг — Софи Бехер. Кто такая? Почему не знаю?

Но что эта женщина не имеет никакого отношения к моей варненской истории — это точно. В семье, в которой я оказалась, промышляют белыми русскими женщинами. Русскими. Такими, как я.

Я взяла в руки конверт. Поднесла его к носу и вдохнула запах. Он пах дождем, этот волшебный немецкий конверт. Что в нем? Очередное приглашение в новую жизнь, где эту самую жизнь у меня вновь попытаются отнять? Если в Варне у меня собирались сначала выдернуть золотые коронки (которых у меня, к счастью, не оказалось), потом — удалить внутренние органы, а «чехол» моей неудавшейся жизни — мое пустое, ничего не стоящее в смысле трансплантации тело, — выбросить на помойку, на съедение диким собакам, то что предлагается мне на этот раз, да еще и в далеком и неизвестном мне Munchen?

---

[1] Т е р л и ц ы (-чки) — вязаные, с национальными узорами, короткие носки-тапочки.

Я не успела вскрыть конверт, потому что услышала за окном радостный вопль:

— Ната!

Это была Нежмие. Я распахнула дверь, впустила ее, мокрую, с горящими глазами в теплую кухню, и мы обнялись. Вернее, обнимала только я, потому что ее руки были заняты, они обнимали нечто плоское, круглое — тарелку в полстены?!

Она осторожно положила это плоское и круглое, завернутое в несколько слоев испанской газеты, на стол и счастливо вздохнула:

— Вот!

Это была красивейшая из всех настенных тарелок, которые мне только пришлось увидеть (турецкие, в Стамбуле, расписанные всеми оттенками голубого, синего и оранжевого — не в счет, как и португальские, разукрашенные гигантскими земляничинами и лимонами): белая с перламутром, с терракотово-красными цветами и бежевыми диковинными растениями, плюс темно-синие, для контраста, вкрапления. Словно художник рисовал свой сон, свою душевную цветовую гамму. В моей убогой кухне словно поселилась частичка Андалусии: Нежмие высыпала на стол гость крупных океанских ракушек, выложила две белые, украшенные рисунком, состоявшим сплошь из незрелых олив, скатерти. А если, подумалось мне, вспомнить о пахнущем дождем голубом конверте из Munchen, тогда и вовсе жить можно! Пусть — без Москвы, без моей уютной комнаты в родительской квартире на Цветном бульваре, без всего того, милого сердцу и глупого, что и составляло, по сути, мою молодую отчаянную жизнь.

Я предложила Нежмие кофе, она отказалась, сказала, что дома ее ждут, ей еще надо мыть детей, укладывать их спать. Я видела, как была она счастлива своей встречей с семьей, как знала и то, насколько хрупка ее семейная жизнь.

— Смотри, — тоненькая, на вид весившая килограммов пятьдесят, сильно загорелая и жилистая Нежмие (ее выкрашенные хной темно-медные кудрявые волосы были заколоты на затылке), в джинсах и синей куртке, похлопала себя по плоскому животу: — Шишка!

Значит, большой живот, растолстела. Я засмеялась. А она быстро, проглатывая слова, заговорила о том, что ради экономии она покупала в огромных супермаркетах Божужоса только дешевые печенья, упаковки кексов-магдаленок (двадцать штук — одно евро с мелочью), только ими и питалась и растолстела вот...

Я даже не успела показать ей конверт (а она и не заметила его), как она уже ушла. Упорхнула — в дождь, в темень. Она храбрая, эта Нежмие, ничего не боится: ни темноты, ни тирана-мужа, распускающего руки, ни холода, ни тяжелой или грязной работы, ни новых стран, пугающих других людей своей неизвестностью, незнанием языков, отсутствием знакомых. Она — как птица, готовая выпорхнуть в любую сторону, подняться до небес и смело лететь навстречу неизвестности — только бы подальше от нищеты, от унижений...

Я взяла в руки сложенную в несколько раз тяжелую белую, в зеленых оливах, скатерть и прижала ее к груди — попыталась представить себя в Испании, в большом белом доме — с мужем, детьми. Картинка как-то не вырисовывалась. Но в Испанию мне хотелось. Быть может, потому, что Нежмие мне и в прошлый раз много о ней рассказывала, радуясь тому, что есть кому рассказать о том, что ей было близко и что она так любила. Она жила воспоминаниями о красивой солнечной Испании от поездки до поездки — от кампуса до кампуса[1].

Я взяла нож и распечатала конверт.

4.

Варна, 2005 г.

Елена и Константин Вьюгины сидели в небольшой, с низким потолком, комнатке старого дома в пригороде Варны, окруженные незнакомыми людьми, которые теперь назывались почему-то их

---

[1] К а м п у с — лагерь для наемных рабочих.

родственниками, и смотрели плохо снятый видео-
материал: свадьбу их дочери.

Была жара, Елена, запакованная в тесный розовый костюм, пыталась ущипнуть себя, чтобы убедиться: все, что она видит, — правда. И это чучело на экране, одетое в белое платье, украшенное
красными цветами и с большим же цветком на голове, — ее единственная дочь Наташа? А смуглый
суховатый парнишка с черными глазами, одетый в
белый неуклюжий костюм — их зять Тони?

Муж Лены, Костя, сидел по левую руку от пред-
ставителя генерального консульства России в Варне, то и дело посматривая в его сторону, чтобы
увидеть выражение лица этого молодого человека.

Они прибыли сюда спустя ровно год с тех пор,
как Наташа сбежала из дома, чтобы выйти замуж
за какого-то Тони из Варны. Познакомилась она с
ним по Интернету, влюбилась, сначала он приехал
в Москву, буквально на пару дней, даже не зашел
познакомиться с ее родителями, вскружил девчонке по-настоящему голову — и исчез. Долго не писал, Наташа смотрела на экран компьютера с от-
страненным видом, и ее было жаль. А потом вдруг
объявился, снова засыпал ее сообщениями, пока,
наконец, не предложил девушке выйти за него замуж. Молодые сговорились, и Наташа уехала. Тай-
но. Знала, что ее будут отговаривать. И где только
она деньги взяла на дорогу? Не Америка, конечно,
но и до Болгарии надо как-то добраться. Может,
Тони ей выслал?

Сначала она написала им письмо, что вышла замуж, что у нее все хорошо, просила прощения. А потом исчезла. Телефоны ее молчали, на письма ей никто не отвечал. И это было для Наташи неестественным. Конечно, она могла сбежать, это в ее характере, но чтобы не давать о себе знать? Нет. С ней что-то случилось! Первый звоночек: телефонный — мама, пришлите, пожалуйста, тысячу долларов, я заболела. Потом, через месяц — то же самое. Что-то по-женски. Выслали и на этот раз. А потом звонил уже муж, Тони, сказал, что с Наташей все в порядке, просто ее надо бы привезти из клиники Святой Анны, из Софии в Варну. На это тоже нужны деньги.

В итоге, в течение года родители отправили в Варну около пятидесяти тысяч долларов. И все — как в песок, сухой черноморский песок. Забили наконец тревогу. Вьюгины вылетели в Варну, нашли консульство, объяснили ситуацию, плакали оба, им было страшно. Подключили к делу полицию.

Время шло, родители сняли квартиру на окраине Варны — не хотели уезжать до тех пор, пока не выяснится, жива ли их дочка.

И вот произошло невероятное: утренний неожиданный звонок на их российский телефонный роуминговый номер:

— Ма, па, приезжайте за мной... Записывайте адрес... — голос у Наташи был каким-то придушенным, тихим.

Выехали целой группой. Но в дом вошли только втроем: мама, папа и помощник консула. Дом был странный, построенный человеком, явно не имеющим вкуса — стены выкрашены в ядовитый зелено-желтый цвет (как желчь, сказала Елена), какой-то странный балкон с колоннами, искусственные цветы в горшках и огромная семья темнокожих, разряженных в пух и прах людей — от стариков до детишек.

— Это же цыгане, — прошептала, преодолевая спазм в горле, Елена, прижимаясь к мужу. — Цыганская семья. А где же Наташа?! Тони?..

Помощник консула заговорил, обращаясь к людям, по возрасту подходящим родителям Тони, на языке, похожем на болгарский, вежливо, с достоинством. Они долго беседовали, пока, наконец, дверь не открылась и на пороге не появилась Наташа. Вернее, ее тень. Кожа и кости. Вместо волос — пучок паутины. Лена встала и поняла, что не может сделать ни шагу. Дочь свою она узнала с трудом. Джинсы, красная майка, острые худые плечи, губы плотно сжаты — вот-вот расплачется. А глаза... Потухшие, потемневшие, с припухшими розовыми веками.

— Тебе что, денег не хватило, чтобы купить себе приличную одежду или на питание? — строго, но заметно нервничая, спросил отец.

Наташа ничего не ответила, глаза ее привычно наполнились слезами.

— А где твой муж? — спросила Елена онемевшими губами. Она сдвинулась немного в сторону, в тень от огромного, до неба, орехового дерева. Во дворе набилось много желающих поглазеть на русскую делегацию.

— Он на работе... Не мог приехать... — сказала она, испуганно глядя на женщину, прожигающую ее взглядом синевато-черных, глубоко посаженных глаз. Елена решила, что это мать Тони, Роза. А тот худой мужчина с небритыми щеками, одетый в новый темный костюм — отец Тони.

— У них гражданский брак, — сказала, судя по всему, свекровь Наташи. — Все, как положено.

А она неплохо говорила по-русски! Интересно, этим двоим, со сверкающими настороженными глазами, тоже что-то перепало от тех денег, что выслали Наташе Вьюгины? Может, и зубы золотые эта тетка вставила за их счет?

— Что значит — гражданский брак? — еще более строгим голосом спросил отец.

В России гражданским браком является сожительство.

— Гражданский брак в Болгарии — это и есть официально зарегистрированный брак, — подсказал помощник консула, крайне вежливый молодой человек. Он вносил своим присутствием официальную, некую чистую ноту во всю эту цыганщину. Казалось, исчезни он — и родители русской невесты вцепятся в волосы всем этим разряженным «родственникам» — за то, что они довели их дочь до такого плачевного состояния. А цыгане, в свою очередь, возьмутся за ножи.

— Вот, мы же вам показываем свадьбу. Все, как положено, — повторила с акцентом сватья. — Так что, сами видите, Наташа ни в чем не нуждается. У нее все есть. И этот дом...

Елена была в ужасе. Она понимала, что в этом доме живет, вероятно, весь табор, начиная от стариков и заканчивая чумазыми крохами-цыганятами...

— Наташа, поедем домой, прошу тебя, — сказал отец дрогнувшим голосом.

— Но она не может уехать от мужа! — воскликнула сватья. — Это нехорошо. Вот приедет Тони...

— А когда он приедет, этот ваш Тони?

— Через две недели. Он во Франции, работает... — подал, наконец, голос и сват. Он смотрел на Елену немигающими глазами, словно проверяя на прочность ее твердость духа. И она не выдержала этого взгляда, опустила глаза.

— Наташа, ты поедешь с нами? Домой? — спросил отец.

— Я не знаю. Тони приедет...

— Разве ты не видишь, в какую семью попала? — не выдержала, наконец, Елена. — Ната, очнись, да они же заколдовали тебя! Посмотри на себя, дочка. На кого ты стала похожа?!

— Ма, все в порядке...

— А как же может быть все в порядке, если мы выслали тебе пятьдесят тысяч долларов, а ты выглядишь, как мумия. Ты больна? Что с тобой?

— Ее муж смотрит, ничего она не больна. Была больна, поправилась... — проговорила, нахмурив брови, сватья. — Так ведь, Наташа?

— Ты же сама позвонила нам и сказала, чтобы мы тебя забрали!

— Сначала я так подумала, а потом поняла, что не надо было тебе так говорить. — Наташа даже не смотрела на мать. И вообще, она вела себя странно. Может, ее накачали наркотиками?

— Немедленно собирайся — и поедем, — приказал отец. — Вернее даже, не собирайся, а просто поедем, и все. Без разговоров!

— Скажите, Наталия, как вам живется в этой семье? Быть может, у вас все хорошо, и ваши родители напрасно забили тревогу? — спросил помощник консула тоном, которым обычно разговаривают с детьми или с психически нездоровыми людьми.

— Мне живется хорошо. — Она так и не подняла глаз.

— Я хочу увидеть комнату, где живет моя дочь, чтобы понять, в каких условиях она находится.

— Почему вы не смотрите на экран, на свадьбу? — спросила обеспокоенным тоном сватья. — Видите, сколько гостей? Больше тысячи кюфте[1] сделали...

— Ма, я здесь останусь... — она не сказала, а простонала.

---

[1] К ю ф т е — приправленные особыми специями, в частности чубрицей, маленькие котлетки.

— Мы и музыкантов приглашали... А сколько золота молодым подарили. Скажи, canim[1].

— И где же это золото?

— Пошло на лечение.

— Наташа, не молчи, я прошу тебя, скажи, чем ты больна?!

— Ма, я здорова. У меня все хорошо. Возвращайтесь в Москву...

— Я могу остаться с дочерью одна и поговорить? — проговорила Елена истеричным тоном. — Вы слышите меня?! Наташа, дочка, подойди ко мне...

Помощник консула сделал движение, и все присутствующие в комнате задвигались, словно каждый пытался спрятаться в угол, чтобы остаться незамеченным и дождаться развязки этой драмы. Не каждый же раз в их поселок приезжают родители русских невест!

Между тем на экране играли веселую, пышную свадьбу, звучала характерная цыганская музыка, крупным планом показывали мокрых от пота, уставших музыкантов. Наташа в белом платье и с высокой прической, которая так ей не шла, танцевала, как заведенная кукла (полное измождение и отсутствующий взгляд), со своим смуглым, растерянным женихом, почти мальчиком.

---

[1] Canim — джаным — дорогой, дорогая.

5.

Село Страхилица (Болгария)
октябрь 2008 г.

«Здравствуй, дорогая Наташа! Пишет тебе твоя подруга Соня Муравьева. Думаю, ты удивлена. А как я удивилась, когда узнала, что ты живешь в Болгарии! Наташа, я так рада, что мне удалось тебя найти. Честно скажу, мне потребовалось время и надежные люди, которые разыскали тебя. Я понимаю, прошло время, и у каждой из нас своя жизнь. Мы обросли новыми знакомыми, приятелями, но для меня ты, Ната, осталась самой близкой подругой. Скажу сразу, мое письмо не праздное, нет. Мне срочно нужна твоя помощь. Как ты уже поняла, более близкого человека, которому я могла бы довериться, у меня нет. У меня проблемы, сложности, и мне просто необходимо, чтобы рядом со мной был такой близкий человек, как ты. Вернее — только ты. Ты помнишь, как мы с тобой представляли себя балеринами, устраивали танцы на веранде вашей дачи, как я приносила старые мамины платья, и мы с тобой надевали их? И как нам было хорошо вдвоем! И вся Москва была наша! Понимаю, мое письмо может оказаться несвоевременным, ты же можешь быть занята, можешь работать и т.д. К тому же у тебя может быть молодой человек, который помешает нашему с тобой плану. А план следующий. Мне просто необходимо, чтобы ты приехала ко мне в Мюнхен. Я вышлю тебе денег на визу и на улаживание всех твоих проблем и на билет, разумеется. Постарайся приехать. Поверь мне, ты не пожалеешь. Если ты поможешь мне выкрутиться из той ситуации, в которую я попала, я не останусь в долгу. Да и вообще, у меня есть деньги, и, если, к примеру, у тебя сложности с работой или что-нибудь в этом роде, я тебе помогу. И работу найду, и жить будешь у меня. Словом, жизнь твоя, если ты приедешь ко мне, кардинально улучшится. Если ты согласна, позвони мне, то есть просто пусти сигнал на мой сотовый. Тебе это ничего не будет стоить. Как только я его получу, сразу же вышлю тебе деньги Western Union.

Ната, прошу тебя, ради нашей дружбы! Приезжай! Я тебя жду.

Целую

Твоя Соня»

Хорошее письмо. Обнадеживающее. Особенно, когда ты увязла по горло в нищете, когда стоит глубокая осень, за окном идет дождь, а самое близкое существо на сегодняшний день, преданное тебе, — это Тайсон. Любимая собака. Когда ты, русская девушка, похоронила себя в крохотном болгарском (вернее, турецком) селе старинного, исторически сложившегося района Делиорман, проживание в котором ставит на тебе особую печать. Сто левов в месяц, тяжелый физический труд, болезни и кромешное одиночество... А тут вдруг распахиваются солнечные ворота, предлагающие тебе войти в другую жизнь, где тебя ждут и любят.

Да, все так и могло бы случиться, если бы не одно обстоятельство — в моей жизни никогда не было подруги по имени Соня. И ни с кем я не танцевала в старых маминых платьях на веранде. У меня в юности были совершенно другие пристрастия: книги, мотоцикл, путешествия. Я любила путешествовать одна, срывалась и с завидной легкостью (как любила повторять мама) уносилась куда-нибудь в Карелию или в Крым. Это было моей страстью, моим образом жизни. И все бы так и продолжалось, если бы не Тони. Тони — это колдовство, наваждение, это своеобразная болезнь, возможно даже — настоящая любовь, такая, какой больше не случится в моей жизни, поскольку Тони... Тони... Его больше нет...

Я пустила сигнал, не задумываясь. Ведь стоит этот богатой дамочке из Мюнхена получить от меня сигнал, как она сразу же вышлет деньги. А уж как я с ними поступлю — мое дело. И не моя вина, если она что-то перепутала и что на свете существует не одна Вьюгина Наташа.

Я не хотела зацикливаться на этом письме, как и всерьез задумываться над тем, что я собираюсь попросту украсть обещанные (предложенные?) мне деньги. Заберу деньги и исчезну из Страхилицы. Хотя и куда же это я исчезну? Вернусь в Москву? К родителям? Я не уверена, что они меня ждут. Они оскорблены до глубины души моим поведением в Варне, моим отношением к ним. Как же, ведь я не оценила их порыв!

Да, предположим, это я вызвала их в Варну. Но их приезд я не так себе представляла. И уж меньше всего я ожидала увидеть в их компании официальное лицо — помощника консула. Они приехали за мной. Собственно говоря, я этого и хотела. Тем более что в Болгарии меня уже ничто не держало. Вернее, никто не держал.

Так не хотелось вспоминать события тех дней. Но получалось, что мне не хотелось думать ни письме, ни о том, что я собираюсь присвоить себе чужие, попавшие ко мне по ошибке деньги, ни о том, что вообще произошло со мною за последние три года. Но разве можно приказать собственным мыслям свернуться клубочком где-нибудь у меня под боком и уснуть вместе со мной, укрывшись покоем и чувством уверенности в завтрашнем дне? Иногда они существуют словно бы отдельно от меня и не поддаются ни на какие мои уговоры — оставить меня в покое, они бередят мне душу, густо посыпают солью начавшие уже рубцеваться раны. Сколько уже раз я прокручивала в мыслях все то, что было связано с Тони! И до сих пор, когда я произношу это имя вслух, моя реакция скорее даже физическая: кровь бросается мне в лицо, сердце начинает колотиться так, что отдает в горле, а глаза наполняются слезами. Вот так.

Роман по Интернету. Конечно, что может быть банальнее и пошлее? Но у меня все было красиво. И Тони, выудивший меня, как рыбку, в Сети, не отпускал меня ни на минуту. Он говорил о любви — он умел очень красиво говорить о любви. И все потому, что любил меня по-настоящему. Миллионы слов, обращенных к девушке, которую ты любишь. Они наполнили мою, в общем-то, одинокую, переполненную никому не нужной свободой жизнь радостью, надеждами, счастьем ожидания встречи с тем, кого любишь.

Тони был красив, молод, он постоянно говорил о любви и о предстоящей свадьбе. А потом — приехал, и мы кружили с ним по Москве, просто не отрывались друг от друга. Мотоцикл был нашим единственным свидетелем, видевшим и слышавшим все, что касалось нашей любви. Как верный конь, он поджидал нас где-нибудь в лесу, неподалеку от того места, где мы обнимались... Тони, в отличие от фотографий, которых у меня в папке «Тони» набралось около пятидесяти штук, в жизни был ярче, красивее, трогательнее. Смуглая нежная кожа, волнистые темные волосы, чудесная белозубая улыбка, исполненный любви взгляд. Все мои прежние, прямо скажем, идеалистические представления о любви подтвердились историей с Тони. Он был романтичным героем с приятным иностранным акцентом, ласковым, щедрым. Он покупал мне цветы, называл меня, в общем-то некрасивую девчонку, самой красивой женщиной на свете, носил меня на руках, а в аэропорту, перед тем, как расстаться, подарил обручальное золотое кольцо с бриллиантом. Когда он перешагнул через белую полосу, отделявшую пассажиров от провожающих, я разрыдалась. У меня была истерика. Я почему-то подумала, что никогда больше его не увижу. Такой душевной боли до этого я никогда не испытывала.

Долго я стояла, глядя в никуда, не в силах пошевелиться, пока не поняла, что Тони в Москве больше нет, и в России — тоже. Что прошло уже три часа, и самолет его приземлился, вероятно, в Варне, а я, оглушенная биением своего сердца, продолжаю, как ненормальная, смотреть ему вслед. Успел ли он соскучиться по мне за эти три часа? Я верила, что он испытывает ко мне примерно такие же сильные чувства, что и я к нему. Однако телефон мой молчал... То есть, рассуждала я, он вернулся домой, но мне не позвонил, не сообщил, что долетел благополучно.

Дома, вернувшись из аэропорта, я сразу же включила компьютер, вошла в Интернет. И как завороженная следила за экраном в ожидании маленького желтого конвертика — уведомления о почте. Следила я и за информационными телевизионными выпусками — вдруг его самолет не долетел! Это было бы единственным оправданием его молчания. Но никаких сообщений о разбившихся самолетах, летевших в Болгарию, к счастью, не было. Значит, Тони жив. А это — главное.

Мама, заглядывая ко мне в комнату, несколько раз пыталась заговорить со мной, понять, что произошло. Из моих скудных объяснений, связанных с приездом в Москву Тони, она знала только, что он прилетел и что он любит меня.

— Ма, ну что ты так на меня смотришь? Он не бросил меня, мы решили пожениться. У нас все нормально. Просто у него проблемы с телефоном.

— Ну да... — кивала головой мама, глядя на меня испуганными глазами. — Ты, главное, так уж не переживай. Мужчины, они знаешь, какие?

— Нет, не знаю... — мы обе понимали, что я говорю правду.

До Тони у меня не было мужчин, хотя со стороны я могла бы показаться вполне современной, не обремененной девственностью московской девушкой-студенткой. Студенткой... Экзамены в университет на филфак я благополучно провалила, а поступать еще куда-то у меня не было сил. По сути, в этом году я доставила своим родителям одни хлопоты и разочарования. Кому же будет приятно, если их единственное чадо все никак не определится со своим будущим? Да и вообще, что это за дочь такая, которая целыми днями гоняет на мотоцикле, а вечером проваливается по уши в Интернет, общаясь с каким-то проходимцем? А теперь вот еще и жених у нее объявился! И все бы ничего, да только не пожелал он почему-то познакомиться с ее родителями.

— Странно все это, Ната, — сказала мама, обнимая меня сзади и целуя в затылок. Она редко позволяла себе такую нежность по отношению ко мне, считая это проявлением слабой воли, в то время как я воспринимала это как проявление любви. — Ну, почему он не захотел с нами познакомиться? Ведь если мысли у него честные и ясные, если он хочет на тебе жениться, он просто обязан был прийти к нам, мы бы его расспросили о семье, о его планах на будущее. Кстати, а чем он занимается? И на что вы собираетесь жить? У него есть профессия?

— Он время от времени ездит в Голландию или Францию — работает там, строит дома, кладет плитку... — Морща лоб от досады, что наверняка я скажу сейчас не то, что от меня хотели бы услышать, вспоминала я рассказы Тони о его жизни, собирала мозаику из обрывков наших с ним долгих и сумбурных разговоров.

— Так он — плиточник?! — ахнула мама, для которой перспектива отдать замуж единственную дочь за какого-то болгарского плиточника являлась падением в пропасть. — И ты, ты, Ната, собралась замуж за плиточника, обыкновенного парня из неизвестной тебе страны, причем страны бедной? И все — ради чего? Чем он тебя так привлек?

— Он любит меня, мама, — прошептала я, чувствуя себя героиней мелодраматического сериала. — Разве этого мало?

— А ты подожди... пока тебя не полюбит кто-нибудь более достойный. Ты пойми, мы — люди не бедные, мы поможем, но надо ведь помогать тем, кто и сам старается.

Мой отец — бизнесмен, он занимается продажей немецкой бытовой техники. Моя мама — правая рука папы, в этом и заключается ее должность по жизни.

Я видела, как мама старается объяснить мне на пальцах всю несостоятельность моего плана выйти замуж за непонятного и, по сути, безработного и бездомного Тони, но я в то время думала только о нем, вспоминала его поцелуи, горячие руки, смуглое гладкое и совсем еще юное тело, его нежное лицо, обрамленное черными локонами. Я тогда и понятия не имела, что он настоящий цыган. К тому же, мне казалось, что за те два дня, что мы провели вместе, втроем: я, Тони и мой мотоцикл (в лесу под Переделкино), я успела забеременеть. Во всяком случае, мне этого хотелось. И моя беременность представлялась мне в исключительно романтичном, возвышенном ареоле: все мои родные отворачиваются от меня, и вот я, с гордо поднятой головой и огромным животом, иду по краю моря, держась за руку Тони. Мы — изгои, но мы — вдвоем. И мы — любим друг друга.

Надо ли говорить, что финансовые проблемы всегда представлялись мне лишь словами — я никогда не голодала, и у меня никогда вообще не бывало никаких финансовых проблем. Все, что мне было нужно, мне тут же покупалось. Да и на карманные деньги я никогда не жаловалась.

— Послушай, ты бы могла сделать приличную партию с Гариком из папиного офиса, он хороший парень, да и отец его — порядочный человек, правда, живет Гарик в Финляндии. Зато квартира свободна. А чем тебе не понравился Женя Мышкин, сын дяди Саши, папиного приятеля, ты знаешь, о ком я говорю. А Фима? Может, он и некрасивый и полноватый, но он очень умный, хорошо воспитан, я уверена, что, если он не уйдет полностью в свою науку, он будет хорошим семьянином...

Говорить с мамой можно было бы годами — об одном и том же, и лейтмотив был бы всегда один: брось ты, к чертям собачьим, своего Тони и займись, наконец, устройством своей личной жизни!

Мой роман с Тони мои родители воспринимали крайне несерьезно, это факт. Но разве могли они предположить, чем закончится для меня это виртуальное знакомство и что сам Тони окажется средством для циничного вымогательства?

...Когда же он, наконец, объявился в Интернете, я уже похудела килограммов на десять. Увидев его адрес на экране, я чуть не потеряла сознание.

«Canim, извини, что не писал, болел. Приезжай, я люблю тебя, жду. Мои родители готовят свадьбу».

А потом было еще несколько десятков похожих сообщений. Потом он прислал мне официальное приглашение на три месяца.

И я решила, что поеду. Деньги на дорогу упали, мне, можно сказать, с неба — я очень выгодно продала свой мотоцикл. Купила туристическую визу и, оставив родителям записку: «Улетаю в Варну, к Тони. Позвоню. Простите. Ната», — покинула Москву...

Мне надо было бы насторожиться еще в аэропорту Варны, когда я не увидела там встречающего меня Тони. А ведь мы с ним обо всем договорились. Вместо него ко мне подошел молодой человек в светлом плаще и широкополой шляпе и спросил: не я ли поджидаю Тони? Словом, он сказал, что за пятьсот евро отвезет меня к Тони домой. Что у Тони сломалась машина. Я не слушала подробности, да и зачем, если сейчас я все равно увижу своего Тони!

Парня звали Радо. Смуглое рябое лицо, холодные темные глаза, серьга в ухе. Он отвез меня в пригород Варны на своем стареньком «Рено», всю дорогу он молчал. Где-то, очень глубоко в моей душе сидело сомнение относительно всего, что я сделала за последние два-три месяца. Неглупая, вполне адекватная московская девочка, я чувствовала, что увязаю в какой-то странной, попахивающей опасностью истории, но это будоражащее состояние нервозности, страха и какой-то воспаленной, болезненной любви буквально околдовало меня. Быть может, виною тому была та неожиданно заполнившаяся любовью пустота в моей душе. Ведь меня еще никто так не любил, как Тони! Мои утомительные, но приятные сердцу поездки на мотоцикле, которые скрашивали мое одиночество (я далеко не байкер, больше того, я боюсь этих ребят в коже, живущих по каким-то своим понятиям), были моим протестом против всего того, что я называла отсутствием личной жизни. Я словно доказывала себе, что могу спокойно прожить одна, без любви, без мужчин. Не сказать, что я уж совсем никому не нравилась, но если кто-то и обращал на меня внимание, то, как правило, какой-нибудь тюфяк, «ботаник» или маменькин сынок. Словом, те, кому нравилась я, не нравились мне. Обычное дело...

...Машина свернула на узкую улочку, забитую небольшими старыми домишками, крытыми оранжевыми черепичными крышами, потом мы спустились к морю и оказались напротив нового, вычурного, выкрашенного в ядовито-зеленый цвет дома со смешными нелепыми балконами, украшенными белыми колоннами. У калитки росли высокие, в человеческий рост, красные розы — они распускались, как мне показалось, прямо на глазах, источая крепкий аромат. За домом виднелась голубая полоска моря. Дивное, красивейшее место. Просто рай.

— Наташа! — Тони словно вырос из-под земли. Я не видела, чтобы он бежал ко мне с крыльца дома. Может, он ждал где-то поблизости.

Он был со мной, он обнимал меня, и это было главным. И черт с этими пятьюстами евро! Когда-нибудь я расскажу ему об этом.

Ответ на телефонный сигнал, пущенный мною стрелой в неизвестный мне Munchen, пришел незамедлительно. Это была эсэмэска: «Завтра утром я пришлю тебе код Western Union, получишь деньги в Шумене — пять тысяч евро. Закажи в Софии шенгенскую визу в посольстве Германии на месяц (если получится, на три месяца), купи билет до Мюнхена на самолет и сообщи мне дату и рейс по телефону. Твоя Соня».

Пять тысяч евро! Да на эти деньги можно, купив шенгенскую визу, исчезнуть, улететь куда-нибудь подальше от всех, скрыться, спрятаться, устроиться на работу в каком-нибудь прибрежном ресторанчике в Испании и вообще начать новую жизнь! Где гарантия, что эта Соня, увидев меня и поняв, что она поставила не на ту лошадь, не прогонит меня с треском с глаз своих, да еще и потребует обратно свои деньги? Скажет, зацепив ногтем указательного пальца мой подбородок: ты зачем заявилась сюда, сучка, разве ты не поняла, что деньги попали к тебе по ошибке? Почему ты сразу не сообщила мне об этом?! И будет, между прочим, права! И придется мне возвращаться в свою Страхилицу, к своим козам и Тайсону. С другой стороны, если Соня поймет, что ее обманули, она может просто-напросто заявить в полицию, тем более что имя-фамилию мои она знает. И тогда меня будут разыскивать не только родственники Тони и мои родители, но и целая свора полицейских...

В случае если я, прибыв в Мюнхен, просто сделаю вид, что это я ошиблась, что вижу перед собой совершенно не ту Соню Муравьеву, с которой якобы я была знакома в школьные годы, тогда уже я стану возмущаться тем, что меня потревожили, обманули, доставили мне множество бесполезных хлопот. Интересно, что будет тогда? Извинится ли Соня Муравьева-Бехер за свою ошибку, или же, как я предположила в первом варианте, прогонит меня в шею, не считая нужным приносить мне свои извинения?..

На печке стоял старый чайничек с заваренной липой. Там, где я живу, чай считается напитком для больных. Чай с травами называется «чай с билками», билки — это травы. И пьют такой чай только больные. Нормальные же люди здесь пьют лишь крепкий кофе (причем крохотную, с наперсток, чашку кофе они могут растянуть на час-полтора) и лимонад. Понятие «черный чай» здесь отсутствует, в отличие от соседнего государства, просто помешанного на чае, — Турции, где на каждом шагу тебе готовы предложить разлитый по маленьким прозрачным фигурным стаканчикам крепкий ароматный непременный турецкий чай. А ведь я живу в турецкой деревне! Казалось бы, здесь живут турки. Им по штату не положено пить кофе и, тем более, пиво или водку. Но турки здесь взяли от болгар все то, что хотели: никто из мужчин ни в чем себе не отказывает...

Я налила в чашку чай, положила ложку меда. На улице в ночной темени, промокшей от нескончаемого холодного дождя, лаял мой верный пес Тайсон. Он беспокоился по любому поводу: пробежавшая за забором собака, лисица, хорек с истекающей кровью курицей в зубах, пьяный Рыдван. Мои две козочки спали в хлеву, прислушиваясь к шуму дождя. А куры наверняка ежились от холода — черепичная крыша пропускала воду.

Я пила чай и представляла себе завтрашний день. Неужели на самом деле какая-то неизвестная мне Соня Муравьева пришлет мне, всеми забытой Наташе Вьюгиной, такую кучу денег?! А может, она просто сумасшедшая?! Нет, конечно, это не так. Но ей зачем-то очень сильно понадобилась эта сама Наташа. Что же приключилось в Мюнхене с Соней? Какая стряслась с ней беда, что она, так сильно рискуя, собирается расстаться с такой крупной суммой денег, лишь бы только моя тезка приехала? Неужели, когда у тебя есть деньги, ты не можешь решить все свои проблемы и тебе непременно нужна помощь подруги детства? Странная история. Ну и пусть! А что, если это мой шанс что-то изменить в своей жизни? Быть может, ошибка Сони Бехер сослужит мне, нищей и никому не нужной «русскине», хорошую службу?

И я приняла решение.

6.

**Город Шумен (Болгария)
октябрь 2008 г.**

Утром у меня ушло два часа на то, чтобы покормить кур, подоить коз, отправить их в стадо (чабан задержался, люди в селе говорили, что у него проблемы с женой) и отпроситься у Нуртен, моей хозяйки. Я объяснила ей, что мне нужно в Шумен, по срочному делу.

Нарядная — голубые шаровары и голубая теплая кофта, белая с синим косынка — Нуртен посмотрела на меня с недоверием. Она ждала, что я объясню ей, зачем мне так срочно понадобилось в город, но я не собиралась никому ничего объяснять. Но и привлекать к себе внимания я тоже не хотела. Сказала, что у меня разболелось горло, распухли гланды. Нуртен сказала, что ее муж, Эмин, собирается в город, он может сам отвезти меня в больницу. Делать было нечего, и я отправилась в Шумен с Эмином, на его «BMW». Он плохо говорил по-болгарски (надо сказать, что многие жители Страхилицы, хоть и живут в Болгарии, говорят только по-турецки, а некоторые так и вовсе годами не покидают деревни), а потому мы всю дорогу молчали. Как тогда, с Радо.

Я снова вспомнила Тони и тот яркий солнечный день, когда я прилетела к нему в Варну. Радо уехал, мы остались одни в доме. Тони объяснил мне, что пожениться мы пока не можем, ему всего шестнадцать лет, он просто выглядит так мужественно и кажется постарше. Меня это ничуть не смутило.

— Но мы все равно поженимся. Нас родственники мои поженят. У нас будет свадьба!

А потом он исчез. Приехала машина, его кто-то позвал, он, поцеловав меня и шепнув: «Canim, я сейчас...», ушел. Я прождала его до вечера. Слонялась по пустому, новому, пахнущему штукатуркой и свежеструганами досками дому — и ждала, ждала. Нашла в холодильнике кусок брынзы, она показалась мне самой вкусной едой на свете.

А ночью приехали какие-то люди, целая компания или, точнее, семья.

— Я — майка на Тони, — сказала мне полноватая женщина в черных брюках и золотистой кофте.

А потом на ломаном русском она начала рассказывать мне какую-то удивительную историю о том, как много их семья потеряла из-за любви Тони ко мне. Что он должен был жениться на богатой девушке из их племени (а тогда я не понимала, о чем вообще идет речь!), а Тони как с ума сошел — влюбился «в Интернет».

...Эмин высадил меня возле больницы и уехал, сказав, что, когда мне надо будет обратно домой, я должна дать ему сигнал. Здесь это принято — не звонить, как звонят нормальные люди, а посылать унизительные сигналы: мол, у меня нет денег, но я хочу с тобой поговорить, набери мой номер...

— Добре, я позвоню, — сказала я, оглядываясь в растерянности и еще не понимая, в какую сторону мне идти. Я имела самое смутное представление, где же тут поблизости расположено отделение Western Union.

И в эту самую минуту в моем кармане прозвучало характерное «дзынь-дзынь»: пришло сообщение. Соня прислала код. Набор цифр. И тут же я неподалеку от себя увидела банк с черно-желтой рамочкой — Western Union. С бьющимся сердцем я вошла в банк и протянула в окошко свой телефон с открытой эсэмэской-кодом и паспорт. Паспорт — документ — *number is one.* Я до сих пор думаю, что Тони погиб из-за моего паспорта, вернее, спасая меня. Он очень хотел, чтобы мой паспорт всегда был при мне. Они у меня его отбирали, а он приносил его обратно. Я знала, что его бьют, у него серьезные проблемы с родителями, промышлявшими такими же русскими дурочками вроде меня, что они воспользовались его любовью ко мне, моим приездом в Варну, чтобы потом через меня выуживать у моих родителей деньги. И мое счастье, что у меня не было золотых коронок на зубах, иначе их бы вырвали чуть ли не в первый же день. И эту показушную свадьбу они сняли на пленку специально для того, если мои родители все-таки заявятся сюда, в Болгарию, в консульство. Свадьба — целый спектакль. Это удивительно, что я вообще дожила до нее! У меня на нервной почве... Нервная почва... Нас же разлучили с Тони! Меня оставили в этом доме, а его увезли в неизвестном направлении. Из-за нервов у меня тело покрылось лишаями. Стали выпадать волосы, болеть зубы. Пропал аппетит. Они звонили моим родителям в Москву и просили денег на мое лечение. Это был кошмар, который я никак не могу забыть!!!

Девушка в окошке спросила меня: выдать ли мне деньги в евро или в левах? Я сказала — тысячу в левах, остальное в евро. Постаралась, чтобы мой голос звучал обычно, как будто бы время от времени я получаю приблизительно такие же суммы. А почему бы и нет?

Я уложила все деньги сначала в хрустящий пакет, потом в сумку (это мое ноу-хау) — на случай, если в мою сумку попытается залезть вор, я услышу хруст...), вышла из банка, поплотнее запахнула пальто и вошла в первое попавшееся кафе. Еще недавно вдоль Славянского бульвара под огромными, дивно пахнущими цветущими липами стояли столики кафе, они тянулись от «Русского памятника» к отелю «Мадара», казалось, это одно огромное кафе. Теперь же стоял октябрь, все зонтики, стулья и столики были убраны внутрь ресторанов, кафе и закусочных, но особой грусти почему-то этот факт у меня не вызывал. Я всегда считала, что в каждом времени года есть своя прелесть. Если летом, в жару, хотелось укрыться под тенью лип и каштанов, оказаться поближе к фонтанам, то сейчас, когда на улице стало пасмурно и шел дождь, да и холодно было, очень даже приятно было зайти в теплое кафе, устроиться за столиком и заказать горячий шоколад или кофе. И смотреть сквозь стекло из тепла на стужу, на улице кутавшихся в плащи и пальто людей, на мокшие под дождем кроны облетавших деревьев.

В кафе было тихо, за соседними столиками сидели в основном женщины — они пили кофе, курили и тихо переговаривались между собой. Женщины в Болгарии совершенно не похожи на нас, русских. Во-первых, они намного миниатюрнее, стройнее и практически не носят платьев и юбок — одни штаны. Во-вторых, я заметила некоторую особенность — они гораздо менее открыты, чем мы, русские, подчеркнуто вежливы и держат дистанцию, и весь их внешний вид, начиная от взгляда и заканчивая манерой держаться, свидетельствует об их неистребимом высокомерии. Когда к ним начинаешь обращаться на русском (я уверена, что они отлично все понимают, поскольку многие учили в школе русский язык, это во-первых, а во-вторых, наши языки вообще очень близки), то многие, слыша простое обращение к ним, настораживаются, хмурят брови и говорят, что они тебя не понимают. Да просто не хотят понимать! Хотя некоторые охотно вступают в разговор, улыбаются, и, как правило, все без исключения произносят одну и ту же фразу, смысл которой сводится к следующему: я вас понимаю, но сказать ничего не могу...

Но мне не было дела до высокомерных болгарок. Пусть себе пьют кофе, тянут одну чашку целое утро! Мне надо было сосредоточиться и составить план действий. Для этой цели я положила утром в сумку блокнот. Ведь мало того, что мне надо было каким-то образом пристроить своих животных и кур, мне требовалось поехать в Софию, в немецкое консульство. Вот это было, пожалуй, самым сложным и опасным делом. Я боялась, поскольку моя болгарская виза была просрочена и меня вообще могли арестовать. Да и, учитывая щепетильность немцев, трудно было предположить, что мне светит шенгенская виза. Но в Германию мне уже хотелось. Да и деньги были у меня на руках. Не скажу, чтобы они прямо так уж жгли мне руки, но я понимала, что колесо закрутилось и, раз я согласилась принять эти деньги, значит, я просто обязана поехать в Мюнхен.

Живя в полной изоляции в деревне и ни с кем не общаясь, я ни у кого не могла спросить, как можно добраться до Германии. Обращаться с подобным вопросом к посторонним (да хотя бы к тем женщинам, дымившим тоненькими сигаретками за соседним столиком) было тоже как-то не с руки. Мне ничего другого не оставалось, как заняться этим непосредственно на вокзале, откуда частные фирмы отправляли микробусы, автобусы или просто такси в Европу.

Я допила кофе, расплатилась и вышла из кафе. Подумала, что таскаться с такими деньгами по Шумену опасно, а тем более, отправляться на вокзал, который кишит разношерстной публикой, среди которой непременно отыщется пара-другая карманников. Поэтому я вошла в первый же попавшийся мне на пути банк, открыла счет и положила на него четыре тысячи евро, после чего на такси добралась до вокзала. Весь нижний этаж здания автобусной станции, расположенной на одной площади с железнодорожным вокзалом, представлял собою ряд застекленных мини-офисов частных транспортных фирм, торговавших билетами в Германию, Францию, Голландию, Грецию, Турцию, Испанию, Италию. Я вошла в одну из таких стеклянных кабинок, увидела сидевшую за столиком девушку. Подошла к столику и вдруг поняла, что не знаю, что ей сказать, с чего начать разговор. На языке вертелось: «А нямам виза...» (У меня нет визы.) Она похлопает ресницами и пожмет плечами — ей-то нет дела до моей проблемы. Она может только оформить мне билет до любой европейской страны. Но для этого ей понадобится моя личная карта (самый главный документ всех болгар — пластиковая карта с личным номером). Или загранпаспорт. Это при условии, что я — болгарская подданная. А так я кто? Да никто! И звать меня никак.

— Моля. — Я присела на стул перед девушкой и заглянула ей в глаза. — Аз имам проблема. Голяма (большая) проблема. Аз нямам шенген-виза. Мне надо в Германию, понимаете?

— Разбирам, — тихо ответила мне болгарка, и несколько секунд мы молча смотрели друг на друга.

— Может, вы познаете кого, кто может отправить меня в Германия? Аз имам пари. (Я имею деньги.)

— Чакай малко (подожди немного)... — Она привычным движением поднесла телефон к уху, набрала номер одним нажатием. И я услышала быструю знакомую речь — она была, оказывается, турчанка. Из знакомых мне слов я уловила только «виза», «Алмания», «паспорт», «пари»...

— Чок тешекюр (спасибо большое). Гёрюшюрюз. (Увидимся), — сказала она напоследок в трубку, потом с самым серьезным видом обратилась ко мне: — Голям камион...

Я понимала. Речь шла о большой грузовой машине, фуре. Мне предлагалось поехать в такой огромной машине, в грузовом отсеке. Я и раньше слышала, как русских девушек переправляли таким образом из Болгарии в Турцию — на заработки...

— Хиляда ойро (тысяча евро), — сказала она мне извиняющимся тоном. — Имаш таки пари? (У тебя есть такие деньги?)

— Имам.

— След пет минути тука. (Через пять минут здесь.)

— Мои пари в банка.

— На Алмания — утре, сутринта (В Германию завтра, утром), — сказала мне девушка-спасительница.

— Добре, — согласилась я. Это было как раз то, что нужно. До завтра у меня была еще уйма времени, я успею собраться.

Минут через пятнадцать в офис заглянул молодой симпатичный турок. Увидел меня и уставился, как если бы мы с ним были знакомы.

— Ты — Наташа? Из Страхилицы? — спросил он, удивляясь, на вполне сносном русском.

— Да. Но я вас не знаю...

— Мой брат возит в ваше село хляб. Он казал мне за теб. (Он говорил мне про тебя).

— Слушай, я не хочу, чтобы кто-то из Страхилицы знал, что я собираюсь в Германию.

— Добре. Аз разбирам. (Я понимаю.)

Я не знала, как спросить его — а не обманешь ли ты меня, не выбросишь ли на границе, как мусор, присвоив себе тысячу евро? Но выхода у меня не было. Мы договорились, что завтра в восемь утра он заберет меня из Страхилицы на своей машине, я отдам ему деньги, а он меня пристроит в фуру своего друга, выезжавшего из Шумена в девять часов утра.

Он ушел, я поблагодарила девушку за понимание, вышла из стеклянного офиса и ощутила, что вся дрожу. На улице было холодно, пассажиры, поджидавшие свои автобусы, жались к стене или сидели на длинных скамьях и пили кофе из автомата. В воздухе пахло дождем, кофе и дымом сигарет. Мне стало по-настоящему страшно. И куда же отвезет меня фура? И что ждет меня на границе? Причем их не так-то и мало — границ! Сначала на румынской границе, затем — на венгерской, на австрийской. И хотя Болгария уже вошла в Евросоюз, некоторые границы еще не были стерты...

Кассирша в банке удивилась, когда я сказал ей, что собираюсь снова забрать свои деньги. У меня не было времени на оформление кредитной карты, поэтому мне ничего другого не оставалось, как снова взять купюры и сунуть их в хрустящий пакет (сделать это утром я бы не успела, банк открывался в девять). Я понимала, что по дороге в Германию я могу потерять все — неизвестно, что поджидает меня в пути.

В мои планы входило купить одежду.

Я зашла в большой торговый павильон неподалеку от кафе «Кристалл» — на Славянском бульваре есть два ориентира, «Русский памятник» и кафе «Кристалл», и если люди назначают друг другу встречи, то в основном именно там.

Купила я джинсы, белый свитер, теплую куртку с капюшоном; подбитые мехом мягкие ботинки на шнуровках, белье, шампунь, розовое полотенце, о котором давно мечтала, но которого не могла себе позволить; дезодорант и разные другие мелочи. Со всем этим багажом я зашла в парикмахерскую. Объяснила: я знаю, что здесь все по записи, но мне просто необходимо сделать педикюр и маникюр. В крохотном помещении было всего две девушки, причем я заявилась как раз в ту минуту, когда клиентов не было. Объяснила на пальцах, что заплачу вдвое больше, только бы маникюрша согласилась меня принять. Но девушка, хлопая длинными ресницами, постучала отлакированным коготком по своим часикам: мол, «след пет минути» придет клиентка...

Меня приняли лишь в третьей парикмахерской. Мне повезло — там работала русская девушка Инга. Высокая красивая блондинка, она во время работы рассказывала мне о богатых реликтовых сосновых лесах на берегу Енисея, и мне хотелось плакать. Я смотрела, с каким сосредоточенным спокойствием эта красивая Инга работала, приводя в порядок мои огрубевшие, запущенные ноги (мне было стыдно и за затвердевшие пятки, и за заусеницы на пальцах рук), и я по-хорошему ей позавидовала. Я даже представляла себе, как после работы за ней заедет ее муж-болгарин с малышом, которого он заберет из детского садика, как они все втроем поедут домой на машине «Альфа-Ромео», как дома Инга своими нежными руками с длинными расписными ногтями приготовит шопский, с брынзой, салат, пожарит котлеты, и вся семья сядет ужинать в комнате перед телевизором. И ей не придется прятаться в ящике среди коробок с вафлями, к примеру, в огромной фуре несколько раз (на каждой границе) и трястись от страха, что тебя найдут и вытряхнут, а то еще и арестуют и вышлют в Россию. (Мысль о том, что меня вернут моим родителям, угнетала меня, пожалуй, еще больше, чем перспектива ареста в какой-нибудь из европейских стран.)

— Ну вот, теперь ты в полном порядке, — сказала мне Инга, любуясь вместе со мной обработанными ею ногтями рук и ног, с подсыхающим на них розовым лаком. — Нельзя так себя запускать. Ты не забыла? Персиковое масло. Непременно каждый день мажь им ногти и пальцы.

Я пообещала ей, что, вернувшись в Страхилицу, только и буду делать, что поливать свои пальцы персиковым маслом.

Интересно, что бы она сказала, если бы увидела меня после того, что сделали со мной родственники Тони и мои нервы?

7.

Варна, 2005 г.

...Когда я уже поняла, что попала в руки преступников и Тони — просто мальчик, которого они использовали для того, чтобы заманить меня в Болгарию и, разрезав на части, продать мои органы, здоровье мое уже было подорвано. Ну и что, что Тони удалось в очередной раз выкрасть у своих родителей мой паспорт — мне тогда казалось, что я умираю. И даже любовь к Тони меня не спасала — глядя на него, склонившегося над моей постелью, я беззвучно плакала, понимая, что мы с ним оба оказались жертвами обстоятельств. Хотя он же мог предупредить меня о том, что нам нельзя встречаться в доме его родителей, что нам надо было снять какое-нибудь жилье подальше от Варны и жить себе спокойно. Но по закону я могла оставаться в Болгарии лишь на три месяца — у меня была виза «D», которую продлить я могла бы при условии, что выйду замуж за Тони. А выйти замуж за Тони я пока что не могла — он был слишком молод.

А потом Тони исчез. Его не было примерно неделю. Меня пичкали какими-то лекарствами, чтобы я пришла в себя, поправилась бы, чтобы у меня, наконец, появился аппетит. Я понимала, что меня хотят откормить, как свинью, а потом уже отправить на органы. И я ждала, что Тони меня спасет.

И он вернулся. Ночью. Каким-то непостижимым образом он взломал замок от двери спальни, в которой я жила, сказал, что нашел квартиру в Каварне, мы поедем туда и будем спокойно жить... у него появились деньги.

И он сунул мне под одеяло, прямо мне в руку, рулончик, перетянутый банковской резинкой — деньги. И паспорт — в который раз!

— Canim, я сейчас приду, я за машиной. Все спят. Поднимайся. Все закончилось...

У меня закружилась голова. Тони убежал, а я с трудом поднялась и, держась за стены, принялась переодеваться. Я чувствовала, что со мной происходят какие-то необратимые процессы. Что я почти облысела. Что мое тело покрылось коростой. Что я погибаю!

А Тони не пришел. Его зарезали по дороге, когда он возвращался, чтобы забрать меня и спрятать в машине. Думаю, это сделал кто-то из его братьев. Мне стало известно об этом от его матери, Розы. Она вошла утром в спальню, где я, одетая и собранная, лежала на постели в ожидании Тони, и сказала, кутаясь в черную шаль, что Тони убили.

Я сказала, что она — курва. Я знала, что это самое оскорбительное из всех слов, какие только существуют в стране, куда я приехала. Она подошла поближе, хотела было меня ударить, но потом махнула на меня рукой. Сказала — она не знала, что я такая слабая и больная, меня надо было раньше убить. И напрасно она медлила. Я, рыдая, сказала ей, что они ограбили моих родителей, вытащили из них целую кучу денег.

— Тони надо похоронить. Позвони родителям, скажи, что срочно нужны деньги...

— Но это же абсурд. Они больше ничего не пришлют! — Не знаю, откуда у меня были силы возражать этой наглой цыганке, увешанной золотом. У нее даже на больших пальцах рук были перстни.

— Звони. Номер вот этот. Ты просто скажи им, и все. Проси пять тысяч долларов...

Она, эта Роза, черная Роза, была совсем каменной, бесчувственной. И она не любила Тони. Я даже подозреваю, что Тони и вообще не был ее сыном.

Она двинула мне в ухо телефоном, прижав его к моей щеке — звони! Потом, чтобы я поняла, что со мной не шутят, ударила меня по лицу, прошипев мне в ухо ругательство. Я понимала, что надо как-то действовать, она, быть может, и сама того не подозревая, дает мне шанс. Ведь это раньше меня держал рядом с ней, с этой Розой, Тони, теперь же, когда его не было, когда его тело с глубокой ножевой раной покоилось где-то на пустыре (я знала, что его так и не похоронили как положено, а зарыли где-то поблизости от дома), я была чудовищно свободной и агрессивной — я хотела жить!

Поэтому, услышав длинный гудок, я напряглась, собирая всю свою боль, горечь и страх в горсть готовых сорваться с языка слов, и, услышав родное мамино: «Ната, это ты?! Где ты?!» — проговорила быстро, насколько это было вообще возможно:

— Ма, па, приезжайте за мной! Записывайте адрес. — И я быстро продиктовала адрес и фамилию этого гнусного семейства (членом которого я чуть не стала).

— Курва! — теперь уже это грязное слово выплюнула черная цыганка Роза. — Курва! Ты дорого за это заплатишь...

Она ударила меня несколько раз по лицу, но так, чтобы не осталось следов. Потом отобрала мой паспорт и ушла, матерясь по-своему, по-цыгански. Про деньги она ничего не знала, поэтому не стала обыскивать мою одежду...

А на следующий день меня отмыли, приодели и сказали, что приехали мои родители. И я должна буду им сказать, что я счастлива с Тони — у нас была свадьба.

...И все бы закончилось хорошо, если бы не фраза моего отца, брошенная мне в лицо, когда мы вчетвером — я, мой отец, мать и помощник консула — уже садились в машину, чтобы покинуть это страшное место. Он сказал:

— Дома поговорим.

В детстве я очень боялась этой фразы. Она ассоциировалась у меня с очень тяжелыми разговорами с отцом, с выяснением отношений, упреками.

С самого раннего возраста отец держал меня на крючке этой убийственной фразой.

Помню один случай. Поехали мы в деревню, к родственникам. Взрослые сидят за столом, я скучаю, слоняюсь по большому дому, заглядываю в шкафы, пробую на вкус все то, что нахожу в кастрюлях и сковородках в кухне, гуляю по двору, пытаюсь познакомиться с собаками и кошками. И вот в сенях я открыла буфет и увидела картонную коробку, полную яиц. Я не знаю, зачем я это сделала, но мне почему-то захотелось разбить их (Цок! Цок! Цок!) — ровно разбить, вдоль домотканой полосатой дорожки, как раз на красной полосе...

Шума было много. Все взрослые в основном смеялись. И только отец, взглянув мне в глаза, сказал:

— Дома поговорим.

Меня никогда не били, не пороли. Но лучше бы уж выпороли.

Или вот такой случай. Снова в гостях. Я — уже подросток. Сижу за одним столом со взрослыми. Половину из того, о чем они говорят, не понимаю. Мне скучно. Начинаются танцы. Меня приглашает друг отца, Борис. Высокий, хорошо одетый мужчина, от которого пахнет коньяком. Я в тоненьком платье, и он обнимает меня так, что у меня начинают пылать уши. И оторваться от него не могу, боюсь, и противно, что лапает меня. Спрашивает: у тебя есть мальчик? Я говорю, что нет.

И он со вздохом: они ничего не умеют, эти мальчики. Я тогда не понимала, что именно он имел в виду. И что же такое мальчики должны уметь. После танца я пошла в ванную комнату, привести себя в порядок. У меня было такое чувство, что меня прилюдно раздели. Когда выходила, столкнулась с отцом, который, вероятно, поджидал меня.

— Ты зачем с ним танцевала, а? Он же тебе в отцы годится?!

— Но он сам меня пригласил. Ты же знаешь!

— Ладно. — Я видела, что его всего трясет. — Дома поговорим...

Но дома он со мной не говорил. Они ругались с мамой. Тихо, но все равно — ругались. Я услышала лишь ключевую фразу, которая мне все и объяснила: «Не хочу, чтобы наша дочь выросла шлюхой».

А дочь выросла авантюристкой, прохиндейкой, легкомысленной особой. Что правда — то правда.

И я сбежала. Помощник консула отвез нас в ту квартиру, которую снимали мои родители, разыскивая меня, и мы тепло распрощались. Мама плакала. А я вдруг отчетливо представила себе весь тот ужас, что мне сейчас предстоит — разговор с родителями. Ведь мне придется отвечать за все, что случилось со мной. И за роман с Тони, и за все потерянные нашей семьей деньги, и немалые. А у меня просто не было сил разгребать весь этот кошмар.

Я знала: все то время, что мы еще пробудем в Варне, пока не купим билеты, и даже время в полете, не говоря уже о возвращении в Москву, домой, родители будут пилить меня, безжалостно упрекая за все, что я натворила. Я попросту разорила их, не говоря уже о том, что сама испортила себе жизнь и теперь меня, по всей вероятности, может ждать только тюрьма. И если поначалу они начнут издалека, из детства и школьных лет, с моей средней успеваемости и подростковой неуправляемости («...Все дети, как дети, а ты готова спать, не снимая роликов...» или «...Ты думаешь, мы с папой не понимаем, что твой мотоцикл — это способ убежать от проблем, от одиночества, от самой себя?! Но так нельзя жить, надо смотреть жизни в глаза, надо понимать, что ты родилась женщиной, а не мужчиной, и тебе надо хотя бы изредка надевать платья, красить губы...»), то потом краски будут сгущаться все больше, и отец не поскупится на крепкие выражения. И пока мама будет вспоминать всех тех потенциальных женихов, которых я упустила, отец заклеймит меня позором, непременно обзовет (в который уже раз!) шлюхой и бросит в сердцах, что мне не хватит всей жизни, чтобы расплатиться с ним за свое легкомыслие. Я так хорошо представляла себе наш разговор, что меня заранее тошнило от надвигающихся разборок с самыми моими близкими людьми. А ведь они могли бы повести себя и по-другому. Пожалеть меня, обнять, поцеловать в мою облысевшую голову и сказать, что они готовы забыть все, лишь бы не травмировать меня, не вспоминать весь этот кошмар.

Но по выражению их лиц я понимала, что ждать такого выражения родительской любви мне не приходится. Но и давать себя на съедение самым близким людям я тоже не собиралась. От меня и так уже почти ничего не осталось. Так — тонкая оболочка человеческого существа.

В одном кармане джинсов я судорожно сжимала рукой теплый бумажный рулончик — подарок Тони, деньги, которые он успел сунуть мне перед тем, как его убили. В другом я хранила возвращенные мне матерью Тони (под нажимом помощника консула) свои паспорта: заграничный и российский, внутренний. С этими сокровищами я могла обрести настоящую свободу — раствориться в благословенной, теплой, чудесной стране Болгарии, чтобы меня потом долго искали и не нашли.

Мы уже поднялись по лестнице и остановились перед дверью квартиры (где мои родители готовились меня морально высечь), как я, вдруг резко повернувшись и взглянув им в глаза, сказала:

— Я ухожу. Вернусь к вам, когда соберу пятьдесят тысяч долларов. Пожалуйста, не подключайте больше консульство, у них и так много работы. Я не маленькая, не потеряюсь. Деньги у меня на первое время есть, документы тоже. Простите меня...

Они не успели ничего мне ответить, как я бросилась вниз по лестнице, выбежала на улицу и помчалась, куда глаза глядят, подальше от этого дома, от моих самых близких людей.

8.

**Страхилица (Болгария) —
Русе (Болгария) — Бухарест (Румыния) —
Вена (Австрия) — Мюнхен (Германия)
2008 г.**

Я не стала обманывать Нуртен, сказала ей, что завтра утром уезжаю в Германию. Нелегально. У меня там подруга, которая обещала помочь мне с работой. Нуртен не надо ничего объяснять. Она и так отлично понимает, что я не могу целыми днями гладить ее белье и доить коз. Я еще слишком молода, чтобы не желать себе лучшей жизни. К тому же она знает мое отношение к мужчинам, поэтому верит мне, что я отправляюсь в Германию не к мужчине, а на самом деле к подруге. Она переживает за меня, спрашивает, не опасна ли моя затея. Нуртен в этот вечер особенно хороша. В новых темно-синих шароварах, в белой блузке и вязаной, украшенной вышивкой с орнаментом красной жилетке, она сосредоточенно выбирает из рассыпанной на чистом гладком столе фасоли мусор (соломинки, сухие веточки, комочки глины). Мужа ее дома нет, а потому она позволяет себе снять с головы привычный платок, который она, как и все местные женщины, повязывает сзади на шее, и продемонстрировать мне свою новую стрижку. У нее, как и у всех турчанок, густые, роскошные волосы. Сколько раз я спрашивала ее, почему они до сих пор, как и сто лет тому назад, прячут волосы под платками, но ответа так и не получила. Молодые же девушки и женщины, не обремененные привязанностью к традициям, ходят в джинсах и с распущенными волосами. И что удивительно: если мои соотечественницы делают все возможное и невозможное, чтобы их волосы были гуще, а прическа — объемнее, то здесь все наоборот — они стесняются своих пышных грив, им хочется иметь тонкие редкие волосы и желательно светлого оттенка...

Глядя на волосы Нуртен, любуясь их блеском и густой шелковистостью, я не могу не вспомнить себя в то время, когда впервые появилась в Страхилице. Купив на деньги Тони маленький дом и успокоившись, что меня здесь уже никто не найдет, я решила всерьез заняться своим здоровьем. Познакомилась с хорошим русскоговорящим доктором, который помог мне пройти обследование внутренних органов. Оказалось, что я в принципе, здорова хотя и выгляжу как покойник. «Это нервы, — сказал мне доктор Красимир Тодоров. — Я выпишу вам, Наташа, препараты, железо и витамины плюс хорошие французские таблетки от депрессии. Вам следует хорошо питаться, много спать и почаще бывать на свежем воздухе». Золотые слова!

— А что мне делать с волосами? Вернее, как бороться с их отсутствием? Поверьте, у меня были хорошие, густые волосы...

Он посоветовал мне маски из сока лука или чеснока, кислого молока, оливкового масла...

Вернувшись от доктора, я целый вечер посвятила своим волосам. Вернее, тому, что от них осталось. Натерла лук, отжала сок, смешала его с медом и оливковым маслом и принялась втирать в кожу головы. Запах стоял ужасный, и мне казалось, что вот-вот в дверь кто-нибудь постучит и скажет: эй, русскиня, ты чем это таким занимаешься, что вся Страхилица провоняла луком?! Но никто, понятное дело, не пришел. Никому не было дела до русскини. Однако спустя несколько месяцев волосы мои восстановились. Для этого, помимо масок и мытья головы хорошими витаминными шампунями, мне пришлось несколько раз коротко стричься, чтобы избавиться от поломанных, больных волос.

Да и кожа, благодаря свежему воздуху и козьему молоку, вернула свою свежесть и хороший теплый оттенок, у меня даже появился румянец! Я ожила...

— Посмотрите моих коз, кур? — спросила я у Нуртен.

— Elbet. (Конечно, посмотрю.)

— А за домом присмотрите?

— Uzuime, canim. (Не переживай, дорогая...) — Нуртен подошла ко мне, обняла и поцеловала в макушку. Я слышала, как она плачет.

Потом она ушла и вернулась, лицо ее было красным, она волновалась.

— Вземай. — Она вложила мне в ладонь деньги. — Триста лева.

Это были большие деньги. На них можно было купить пятимесячную телку или трех взрослых овец, шесть коз или подержанный «Фиат».

— Аз имам пари, — сказала я охрипшим от волнения голосом. — Спасибо, Нуртен...

— Аз съм длыжна (я тебе должна), — проговорила она, крепко прижимая деньги к моей ладони.

Я не могла сказать ей, что у меня целая куча денег. Не могла раскрыть ей всю тайну. Это касалось лишь меня. И отвечать за эти деньги тоже должна только я. И нечего взваливать на голову Нуртен мои проблемы и сомнения.

Поздно вечером ко мне заглянула Нежмие. Слухи разлетаются по деревне со скоростью света.

— Ната, ти заминаваш за Алмания? (Ты уезжаешь в Германию?) — Глаза ее стреляли по комнате в поисках доказательств самой свежей «клюки» (сплетни). Она не могла не увидеть дорожную сумку (я купила ее в тот памятный день, когда сбежала от родителей в Варне, мне тогда необходимо было, как и в этот раз, купить кое-что из одежды, обуви), новые ботинки, куртку, висевшую на двери.

Я, как могла, объяснила ей, что мне пришло письмо от моей подруги детства (я знала, что Айше, почтальонша из Черна, в случае необходимости подтвердит факт получения мною письма из Германии), которая зовет меня к себе в гости, а заодно, может, подыщет мне там работу. Нежмие смотрела на меня с удивлением и страхом, я видела, что она искренне переживает за меня. Ведь ничего, ну, абсолютно ничего не предвещало никаких перемен в моей жизни! Нежмие знала, что у меня не может быть денег на дорогу — да и все в деревне знали, что у меня практически никогда не бывает денег. Разве что когда я у Нуртен получаю зарплату. Но она почти вся уходила на уплату долгов, квитанций за ток, воду, за хлебные купоны да на покупку самого необходимого: сахара, кофе, масла. Я — единственная на весь Делиорман, как мне кажется, ем хлеб и кашу не с маргарином, а со сливочным маслом. Привычка с детства. Влезу в долги, но масло куплю! Иначе хоть волком вой...

— Имаш ли пари?

— У меня есть деньги, Нежмие, подруга прислала мне на дорогу.

— А виза? — Нежмие была в курсе того, что у меня просрочена виза и что в Болгарии я уже давно живу нелегально. Удивительно, как мне продали этот домишко — ведь мне, как иностранке, невозможно купить землю. Дом купить можно, а землю, на которой стоит дом, — нет. Однако земля под моим домом — кому она нужна, кроме меня? Главное, у меня есть свой дом, а в нем — новая кровать с новыми одеялами, подарок Нуртен на день моего рождения.

Мы поговорили с Нежмие, выпили по чашке чаю с липой и попрощались. Обе плакали. А потом я покормила Тайсона, поставила будильник на шесть утра, приготовила одежду и легла спать.

Но сон долгое время не шел. А когда я все же уснула, мне приснилось, как будто я не одна, у меня есть кто-то, кто меня очень любит. Я никак не могла понять во сне, кто же этот мужчина. Он обнимал меня в темноте, шептал слова любви, плакал у меня на груди, а я плакала оттого, что никак не могу ответить на его чувство взаимностью, потому что не понимаю, кто он, не вижу его. А потом он страшно закричал, так закричал, что у меня кровь заледенела в жилах. Я увидела распростертого на полу мужчину в окровавленной рубашке. С лезвия ножа капала кровь, она шипела, касаясь пола, и испарялась, словно кислота.

Я проснулась и заметалась на постели. Тони?! Может, я увидела во сне, как убили моего мальчика, моего Тони? Но я откуда-то знала, что это был не Тони. И почему-то из-за Тони я так не переживала, как из-за этого другого мужчины. Мне казалось, что уже очень скоро я вспомню, кто же он, вспомню, чьи это глаза, мерцающие во всполохах молний за окном, и этот голос. Ощущения, память, чувства, ассоциации. Я знала этого мужчину в реальной жизни. И он ассоциировался у меня с чем-то садняще-мучительным, грустным и даже тоскливым. Нет, я определенно знала его! Мы были знакомы. Но вот кто он, я так и не вспомнила. Только знаю, что он из моей другой жизни, той, которую я успела забыть. Но это не Тони. Тони был гораздо позже. А еще, у меня было чувство, словно я должна этому человеку деньги — или он мне? Словом, что-то связано с деньгами. Может, я в Москве у кого-то одолжила денег и забыла? Но у кого? Деньги я, как правило, брала у родителей. И только если мне надо было отдать в ремонт мотоцикл, я старалась сначала перехватить у знакомых, а уж потом, частями, просила их у мамы.

Будильник разрезал мой сон острым ножом — я так и не вспомнила, кто же мне приснился. И кого же убили там, в моем тяжелом сне. Я быстро оделась. Пришли Нуртен и Нежмие — проститься и пожелать мне счастливого пути. Я отдала ключи Нуртен. Знала, что в мое отсутствие и мои курочки, и козы, и Тайсон будут накормлены. Я оставляла свое маленькое хозяйство в надежных добрых руках.

У калитки я простилась с Тайсоном. Пес лизнул меня в щеку и попытался встать на задние лапы.

— Я приеду, вот увидишь. И мы станцуем с тобой. — Это была наша тайна. Я учила Тайсона танцевать вальс и знала, что, будь он посмышленее, непременно после каждого танца целовал бы мне руку. — Пока, Тайсон. Не грусти.

А спустя два часа я уже сидела на довольно-таки удобном стуле в огромной, продуваемой ветром фуре и старалась не думать, сколько тысяч километров отделяют меня от далекого Мюнхена. Я позвонила Соне и вполне спокойным голосом сообщила, что еду нелегально, у меня не в порядке документы, спустя тридцать часов я должна быть в Германии. Ей понадобилось время, чтобы переварить полученную информацию, а мне — чтобы представить себе девушку, которой мог бы принадлежать этот низкий встревоженный голос. Она перезвонила сама и задала несколько вопросов. Я объяснила ей, что у меня просрочена виза, я нелегально живу в Болгарии. И я не могу лететь самолетом. Она сказала, что, когда я пересеку территорию Румынии, у меня перестанет работать болгарская телефонная система, и тогда мы вряд ли сможем связаться. На это я ответила ей, что у водителя есть немецкая сим-карта, я с ним обо всем договорилась, и, когда мы будем подъезжать к Мюнхену, я ей позвоню сама. Странное дело, но я, включившись в эту игру, и сама уже начала воспринимать Соню как свою давнюю подругу. Жаль, что это обман и меня там никто не ждет.

Но пока что мы ехали. Я то спала, то просыпалась, слушая шум ветра и плотнее укутываясь в толстый болгарский вязаный плед, который дал мне симпатичный водитель. Перед границей с Румынией, в городе Русе, мы перекусили в придорожном кафе — ставшими привычными мне, русской девушке, кюфте (котлеты, в которых сои куда больше, чем мяса), и салатом из капусты. Кофе, как обычно. Водитель сказал, чтобы я сидела смирно и ничего не боялась. Но легко сказать! Конечно, я переволновалась. Мы стояли очень долго, грузовые машины, как правило, едут гораздо медленнее легковых — их проверяют. Спать было невозможно, я вслушивалась в звуки за стенами фуры и, когда слышала, что к машине кто-то приближается, пряталась за огромным картонным ящиком. Когда же я поняла, что подошла наша очередь пройти проверку, я почти перестала дышать. Прижалась к стене и подумала, что совершила очередную в своей жизни ошибку — мне не стоило ввязываться в это опасное мероприятие! Куда комфортнее я чувствовала бы себя в своем доме, у печки. Лучше бы я позвала Тайсона в кухню и поговорила с ним на его собачьем языке, чем объясняться с какой-то непонятной Соней, которая, кстати, услышав впервые мой голос по телефону, не выразила ни капли восторга по поводу моего ожидаемого приезда. Она даже не оценила мой порыв (вернее, порыв моей тезки — Натальи Вьюгиной, своей лучшей подруги детства), которая собралась в шенгенскую зону без единого нужного документа. Может, она уже сто раз пожалела о том, что пригласила меня (ее) к себе? А вдруг ее проблема рассосалась сама собой, а она уже выслала мне сгоряча пять тысяч евро?! И такое могло случиться. Но сказать мне: ты, мол, подружка, повремени-ка с приездом, давай увидимся как-нибудь в следующий раз, у нее духу не хватило. Вот она и поджидает меня со смутным чувством раздражения и разочарования.

Меня никто не обнаружил, и мы поехали дальше. От страха меня затошнило. Я даже попросила водителя остановиться, чтобы не испачкать фуру.

— Это нервное, — сказал водитель с сочувствием и протянул мне бутылку с минеральной водой. — Там, в коробке, два одеяла, постели на пол, может, лежа тебе будет удобнее? До следующей границы шестьсот километров, это приблизительно десять часов.

Я вдруг поняла, что он на самом деле отлично говорит по-русски.

— У меня мама — русская, — объяснил он. — Да не дрожи так! Говорю же — проскочим! Я таких, как ты, пачками возил.

Он даже не понял, что обидел меня, записав в потенциальные проститутки.

— А почему твою машину почти не проверяют?

— Они меня знают, — загадочно ответил он, и я поняла, что то, чем он сейчас занимается, — это тоже своего рода бизнес, и служащие границ стран — членов Евросоюза — такие же смертные, и им тоже хочется есть...

Границу между Румынией и Венгрией я проспала. А когда мы въехали в Австрию (вот тогда-то я почему-то по-настоящему струхнула, и у меня, по всей видимости, поднялась температура), Николай, так звали водителя, остановился в чудесной кофейне, где кофе в изысканных фарфоровых чашках с молоком в кувшинчиках подавали одетые в белые кружевные переднички девушки. То, что под передничками у них были джинсы, нисколько не портило общую картину стилизации. Картину портила я — со своим зеленым лицом и потемневшими от страха и волнения глазами. Таким чудовищем я увидела себя в чистеньком, пахнувшем цветами туалете кофейни. Благополучно облевав роскошный белоснежный унитаз, я вернулась в зал, где Николай с напарником пили кофе, отпила несколько глотков кофе и вернулась в фуру, на свое собачье место — за коробку. Мне вдруг стало нестерпимо жаль себя. Я подумала, что так недолго и помереть в этой фуре, где-нибудь на границе с Германией («Наташа, границы между Австрией и Германией, слава богу, нет!»). Откроет Николай фуру, позовет меня, а в ответ — тишина. Отодвинет коробку, а там — я. Вернее, мое тело. Спрашивается, и какой смысл мне было зализывать раны в глухой Страхилице под заунывное пение ходжи из соседнего села Черна и готовить себе луковые маски, восстанавливающие волосы, если судьба уготовила мне жалкую смерть в грузовой фуре?!

Тихонько скуля и вспоминая наши жаркие объятья с Тони, его улыбку, его глаза, полные невыразимой любви и тоски (да он просто с ума сходил, когда понял, что его мать им манипулирует!), его полные нежности письма и эсэмэски, я и вовсе начала подвывать. Как такое могло случиться, что мать, видя, как сильно ее сын любит русскую девушку, воспринимала ее в первую очередь как источник наживы, объект для своего грязного бизнеса? Нет, все-таки Роза никогда не была матерью Тони! Скорее всего, он достался ей каким-то другим, случайным образом: может, его просто подобрали где-нибудь на дороге.

Европа проплыла мимо меня, точнее, я миновала Румынию (так и не увидев «Букорешт» (Бухарест), Венгрию (так и не попробовав знаменитого гуляша); правда, в Австрии все же мне удалось выпить пару глотков кофе.

Фура должна была проехать через Мюнхен, оставить там половину груза и отправиться дальше. Но это меня уже не касалось. Когда мы ехали по пригороду Мюнхена, Николай остановил машину, открыл дверь моей временной тюрьмы и сказал:

— Ты жива? На, звони. — И протянул мне телефон. — Что-то ты совсем зеленая, Наташа!

Номер телефона Сони я выучила наизусть. На всякий случай. Позвонила. Она откликнулась тотчас, видимо, ждала моего звонка.

— Соня, мы въезжаем в Мюнхен.

— Отлично, — ответил мне с оживлением ее хрипловатый низкий голос. — Поезжайте по Карлштраубе, и пусть он высадит тебя на перекрестке с Люсенштраубе. Я тебя там найду. На всякий случай — я буду в черной «BMW», выйду из машины, и ты легко узнаешь меня по красному берету и шарфу. Ну что, до встречи, подружка?

— До встречи, — пробормотала я, чувствуя, что теряю последние силы. Если на дорогу я эти самые силы как-то распределяла между странами Шенгена, то сейчас, когда мне предстояло самое важное — встреча с Соней, у меня их просто не осталось. Что будет со мной, если она, увидев меня и обнаружив, что я — совершенно другой человек, которому она, в отличие от моей тезки, довериться не может, скажет, чтобы я отправлялась обратно, в Болгарию?

Мне не оставалось ничего другого, как поговорить с Николаем и попросить его дать мне свои координаты: на крайний случай.

— Да, конечно, Наташа. — Он с улыбкой протянул мне свою визитку. Мне не хотелось бы думать, что он воспринимает меня как проститутку. Но что я могла поделать? Ударить себя кулаком в грудь и сказать, что у меня был всего лишь один мужчина? Да и то, даже не мужчина, а мальчик, которого зарезали его же братья? Что он был цыганом, а меня чуть не продали на органы? Пусть думает, что хочет...

— Кысмет, — сказал он мне напоследок, высаживая меня на углу Карлштраубе и Люсенштраубе. По-болгарски он пожелал мне удачи.

В Мюнхене, как и во всей Германии, моросил дождь. Небо было затянуто лиловатыми «гематомными» тучами.

Николай помог мне снять с фуры сумку и оставался возле меня до тех пор, пока не увидел на другой стороне дороги черную машину, из которой вышла высокая худенькая женщина в черном плаще. На голове ее был красный берет, и такого же цвета шарф окутывал шею.

— Это моя подруга. Спасибо тебе, Николай. — Я пожала ему руку.

Он поцеловал меня в бледную холодную щеку.

— Айди... — Он помахал мне рукой, залез в кабину, и машина медленно влилась в транспортный поток.

9.

Мюнхен, октябрь 2008 г.

Ко мне подошла девушка, на самом деле, по виду — моя ровесница. Я не знала, как себя вести, а вот она в отличие от меня вдруг бросилась ко мне, обняла меня и прошептала, глотая слезы:

— Наконец-то! Слава богу, ты приехала! Пошли скорее отсюда. Мало ли. Наташа, как же ты изменилась! Вытянулась, а ведь раньше была пухленькой. Но так тебе лучше.

— А ты такая же, как и раньше. — Я вяло включалась в предложенный мне сценарий.

— Не знаю. Тебе виднее. — Она почему-то избегала смотреть мне в глаза. А это — дурной знак! — Давай договоримся заранее, прямо сейчас. Если тебе что-нибудь не понравится или ты почувствуешь какой-то дискомфорт, ты сразу же говоришь мне, хорошо? И мы либо вместе решаем эту проблему, или ты, когда только захочешь, вернешься домой. Я же понимаю, что вырвала тебя из привычной среды, взбаламутила тебя, заставила так рисковать. Знай, я это оценила! Конечно, находясь от тебя далеко, я бы не смогла решить твой вопрос с документами. Другое дело — здесь. У меня тут полно знакомых, причем влиятельных. Я уверена, что они помогли бы тебе и с визой, и со всем на свете.

— Соня, хорошо все... что ты говоришь, это хорошо... Но я представления не имею, чем я могу тебе помочь?

— Я объясню тебе. — И тут она повернулась ко мне лицом, и я увидела, что и она тоже как бы не в себе. Бледная, сосредоточенная. Возможно, она уже поняла, что я — это совсем не та Наташа Вьюгина, да вот отступать было поздно. Но это же она заварила всю эту кашу? Вот пусть теперь и расхлебывает. Если же впоследствии выяснится все-таки, что я — это не тот человек, кто ей нужен, и она спросит меня, почему же я молчала, я скажу ей прямо в лицо, что и сама попалась на эту зрительную удочку: у меня в детстве была знакомая Сонечка, фамилию я не вспомнила, «но на лицо вы вроде бы похожи...». Я постоянно в уме прокручивала свои объяснения с ней, а мои губы беззвучно шептали оправдания.

— Я объясню тебе, — повторила она, опуская руки в черных перчатках на мои плечи. — Тебе ничего не нужно будет делать. Просто находиться рядом со мной. Мне очень страшно, понимаешь? *Очень!*

— Что с тобой? У тебя неприятности?

Не зря говорят: чтобы понять, в каком положении находишься ты, достаточно встретить человека, у которого более серьезные проблемы, чем у тебя, и тогда ты начинаешь чувствовать себя гораздо лучше, спокойнее, и тебе все кажется не таким уж и беспросветным. Вот и сейчас. Я смотрела на эту хорошо одетую девушку и представить себе не могла, что же страшного с ней могло случиться, раз она позвала на помощь меня — чудачку, влипшую по самые уши в грязную историю с цыганами, плюс долги родителям да еще и проблемы с законом.

— Приедем, и я тебе все расскажу. Пойдем быстрее.

Я видела, что ей не терпится усадить меня в машину. В этом наши с ней желания совпадали. Мне просто необходимо было как можно скорее спрятаться куда подальше, чтобы меня никто не увидел, не нашел, не осудил, не посадил. Я страшно боялась полиции.

Мы покатили по улицам Мюнхена, но я и в этот раз практически ничего не увидела, точнее, не воспринимала. Я испытывала дурноту и гнала от себя мысли о беременности. Какая беременность, если у меня не было мужчин после Тони, а с Тони я была несколько лет тому назад?! Быть может, издевалась я над собой, один шальной сперматозоид спрятался где-нибудь внутри и теперь дает о себе знать? Такие идиотские мысли могли прийти в голову только от отчаяния. Просто меня никогда прежде так не тошнило. Хотя примерно то же самое со мной было, когда Тони исчез в первый раз, а я поняла, что угодила в ловушку и дела мои плохи. Да-да, точно: меня тогда и тошнило, и голова раскалывалась, да и все тело болело. Словно весь мой организм противился предстоящей смерти.

Мы въехали на тихую широкую аллею, засаженную огромными дубами, и остановились возле кованых черных ворот, за которыми виднелась широкая дорожка, посыпанная гравием, и двухэтажный красивый серый с белым дом, украшенный башенками. Ну прямо маленький дворец! И все это строгое великолепие было окружено роняющими листья высокими деревьями — каштанами, кленами.

— Куда мы приехали?

— Ко мне домой. Вернее, это дом моей свекрови. Она недавно умерла, вот мне и приходится пока жить здесь, присматривать за домом. Мой муж в Берлине, у него дела, видите ли...

Я подумала тогда, может — меня позвали, чтобы я присматривала за домом? Что ж, я согласна.

Ворота открылись автоматически — я даже не видела, чтобы Соня сделала для этого что-нибудь, нажала, к примеру, на какую-нибудь кнопку. Вероятно, кто-то был в доме, кто ждал ее возвращения, и открыл ворота.

— Это Роза, — прочитала Соня мои мысли. — Моя служанка. Это она открыла ворота. Я рассказываю тебе все это, чтобы ты знала. Ведь ты пробудешь здесь какое-то время, ты должна все знать.

Роза? При упоминании этого имени у меня скрутило живот. Черная Роза — проклятая алчная цыганка, убившая чужими руками моего Тони!

Мне не удавалось рассмотреть Соню. Красный берет явно ей не шел, и она наверняка надела его, чтобы по нему я смогла быстрее ее заметить. По светлым локонам, выбившимся из-под берета, я поняла только, что она блондинка. Я так нервничала, что никак не могла собрать в один образ те картинки, части пазла, которые мне удалось увидеть: глаза, нос, рот, лоб, подбородок. Все никак не хотело складываться в лицо этой девушки, оно почему-то не собиралось воедино.

И только когда мы поднялись по широкой парадной лестнице и вошли в холл и Соня сорвала берет (судя по тому нервному и резкому движению, с которым она это сделала, она тоже ненавидела его — не избавилась от него еще в машине по той лишь простой причине, что она тоже нервничала и просто забыла о нем), я увидела, наконец, молодую довольно-таки привлекательную женщину лет двадцати пяти. Холодноватые зеленые глаза, платинового оттенка волосы, бледная прозрачная кожа, бледно-розовые губы, тонкий нос. Спустившаяся с небес (а точнее, со второго этажа) женщина средних лет, тоже блондинка, но только упитанная, розовая, как клубничный крем, в белом переднике, и была, вероятно, служанкой Розой, открывшей нам ворота. Она помогла Соне раздеться, приняла у нее черный плащ, потом, улыбнувшись мне, показав ровные белые зубы, поздоровалась и помогла мне снять куртку.

— Значит, так, — Соня по-хозяйски принялась рубить воздух указательным пальцем правой руки. — Сначала — в ванну, потом пообедаем, и ты ляжешь спать. Я представляю, сколько часов ты была без сна, да еще переволновалась, наверное, в этой чертовой машине на границах. Да уж, ну и натерпелась ты!

В сущности, она вела себя вполне естественно для ситуации, где я выступала в роли ее подруги детства. Для реальной же ситуации, где я могла лишь отдаленно напоминать ее подругу (существует мнение, что человек подчас видит то, что хочет видеть), и это — в лучшем случае, она тоже, по сути, вела себя вполне адекватно: предложила мне помыться, перекусить и выспаться. Вытолкать меня из этого дворца она сможет меня уже умытую, сытую и выспавшуюся. Но подобные мысли я гнала прочь, как бродячих псов. Нет, этого не могло случиться уже хотя бы потому, что у нее была такая возможность еще там, на трассе, когда мы встретились и она поняла, что ошиблась. Вырисовывалось два варианта. Первый: она увидела во мне ту, кого и хотела увидеть — свою настоящую подругу детства, Наташу Вьюгину. Второй: она сразу поняла, что ошиблась, но решила довести игру до конца; возможно, я, «другая», чужая Наташа Вьюгина, тоже ей на что-нибудь сгожусь.

Роза привела меня в комнату, показала, где дверь в ванную, и оставила меня одну. Я бросила сумку на пол и осмотрелась. За окном шел дождь, а в комнате было чисто, тепло, сухо и очень красиво. Широкая кровать, уже разобранная (пуховые подушки и одеяло, напоминавшие голубые облака), так и манила лечь и забыться.

Я разделась и отправилась в ванную комнату. У меня не было сил наполнять ванну водой. Я вошла в душевую кабину, пустила теплую воду и испытала немыслимое наслаждение. На полочке нашла шампунь и мыло. Я долго и густо три раза подряд намыливалась, чтобы истребить запах дороги, фуры, солярки и грязи. Надо сказать, что с каждым новым омовением я чувствовала себя все лучше и лучше. Я вышла из кабинки и наступила на зеленый махровый коврик, тщательно вытерлась большим полотенцем, замотала голову другим полотенцем, накинула новый (я не могла не обратить на это внимание) розовый купальный халат, сунула ноги в новые белые тапочки и торжественно, преисполненная чувства собственного достоинства, вернулась в комнату. Есть мне не хотелось, а вот забраться под перинку и выспаться — об этом я мечтала всю дорогу. Но я помнила, что меня обещали накормить.

В дверь постучали, когда я уже задремала, прикорнув прямо в халате поверх перины.

— Да, да... войдите.

Вошла Соня, в домашних брюках и тонком джемпере. У меня появилось странное чувство, будто я ее действительно где-то видела. А может, я и на самом деле все забыла, и она, Соня, была моей лучшей подругой?

Следом появилась Роза, она катила столик.

— Знаешь, мы решили, что ты должна побыть одна. И поесть одна. Чтобы не смущаться и чтобы тебе никто не мешал. Я вижу, что ты нервничаешь. Вот, тут еда. Поешь и ложись спать. А вот ужинать мы уже будем все вместе. Я правильно решила?

Я была благодарна ей за это. Конечно, мне очень хотелось побыть одной, привести мысли и чувства в порядок. Да и вкуса еды я бы не почувствовала, если бы мы сидели за столом вместе и разговаривали. Она была сто раз права.

— Хорошо. Честно говоря, мне кажется, что все это мне снится.

— Ну, ладно, мы с Розой пойдем. Да, она тоже немного знает русский. Если тебе что-то понадобится, обращайся.

— Пожалуйста, — улыбнулась мне розовощекая Роза. Но лучше было бы, если бы ее звали Гретой.

Они вышли из комнаты, я посмотрела на еду и поняла, что проголодалась. Чашка с супом, кажется, куриным. Салат с картошкой. Отбивная. Темный хлеб. Кувшинчик с красным соком (или вином?). Слоеная булочка, посыпанная сахарной пудрой.

Я попробовала всего понемногу, утолила голод, сняла халат, надела пижаму и легла. Теперь, когда мне физически стало так хорошо, я уж и не знала, расстраиваться ли мне по поводу того, что я приехала сюда, или наоборот — воспринять это как знак судьбы.

Быстро погружаясь в сон, я еще некоторое время видела перед собою картонные коробки, прячась между которыми, я провела больше тридцати часов, Николая, девушек из австрийского кафе в кружевных передничках, Соню...

10.

Мюнхен, октябрь 2008 г.

Перед ужином Соня показала мне дом. Множество комнат, лестниц, каких-то кладовок, кухню.

— Красивый дом, — сказала я.

— Красивый, конечно, да только мне как-то страшновато в нем. А еще. Я не понимаю, что в нем вообще происходит!

— Неужели привидения?

— Может, и привидения, — проговорила она озабоченным тоном, словно речь шла о тараканах или мышах. — Пойдем, я покажу тебе кое-что.

Мы поднялись на чердак. Просторное, залитое солнечным светом, помещение. В центре — макет, точная копия этого дома, высотою в человеческий рост.

— Это макет дома. Много лет тому назад, когда моя свекровь заказывала проект, архитектор по ее просьбе сделал макет будущего дома. Она сказала, что так ей будет удобнее представлять себе, что же получится в конечном итоге. Понимаешь, это не простой макет. Здесь все движется. Вот, смотри... — И она легко сняла с макета крышу. — Видишь? Здесь все комнаты. Даже мебель есть! Правда, макет мебели сделали уже другие люди, которым она ее заказывала.

— Какая интересная женщина — твоя свекровь...

— У них с мужем было много денег, вот они и развлекались, — отмахнулась непонятно от кого Соня. — Да дело не в этом. Вернее, именно в этом! И она ткнула пальцем в макет.

— В смысле тебе мешает этот макет? Ты считаешь, что он занимает слишком много места?

— Даже не знаю, как тебе и объяснить-то... — Видно было, что она подбирает нужные слова. — Я почему пригласила именно тебя? Понимаешь, ты — человек, который знал меня еще девчонкой. Мы с тобой провели много времени вместе, играли в разные игры. Ты помнишь?

— Конечно, помню, — сказала я и почувствовала, что краснею.

Интересно, во что мы в свое время играли с девчонками? В семью. Кто-то из нас был мамой, кто-то — папой. Мы ходили беременными, потом рожали. Еще мы много фантазировали о будущем, представляли себе своих мужчин — любовников, мужей. Говорили об одежде, мечтали о каких-то невообразимых платьях. О путешествиях. И все это сейчас казалось таким наивным, смешным...

— Помнишь, мы мечтали о том, какие у нас будут квартиры, дома?

— Ну да, — подхватила я, вспомнив, как однажды мы с одной девчонкой соорудили из стульев и покрывал целый дом (возможно, этой девчонкой как раз и была Соня?). — Конечно, помню.

К счастью, она не стала уточнять, о чем именно мы мечтали. И вообще, Соня вела себя со мной, как мне показалось, не совсем естественно, поскольку я так и не услышала подробностей о наших детских играх, чего-то такого, что нам обеим — в случае если б мы действительно были подругами — было приятно вспомнить. Словом, она не пыталась меня проверить, и мне показалось это странным. Особенно если учитывать, что меня вызвали сюда для какого-то важного дела. Может, я очень сильно похожа на свою тезку?

— Вот, смотри. — Соня ткнула пальцем в спальню, расположенную на верхнем этаже, под башенкой. — Видишь? Маленькая комнатка. Здесь живет Роза. А сейчас я тебе кое-что покажу.

Она подошла к старому шкафу и достала оттуда небольшую картонную коробку, открыла ее, и я увидела несколько маленьких резиновых кукол. На одной из них был белый передник.

— Я нашла ее неделю тому назад вот в этой спальне. Кукла лежала на кровати.

— А раньше ты этой куклы не видела?

— Нет. Дом стоял пустым.

— А как ты сама-то оказалась на чердаке?

— Роза сказала, что убиралась здесь и увидела большую крысу. Она ужасно боится крыс и мышей...

— Я тоже, между прочим, их боюсь!

— Я поднялась сюда. В руках у меня была каминная кочерга. Однажды, когда мы жили в собственном доме в Берлине, когда только поженились с Эрвином, у нас тоже завелись крысы, и я видела, как Эрвин (надо сказать, что он не очень-то храбрый парень и вообще хлюпик), так вот, увидела, как Эрвин убил крысу каминной кочергой. У него это так ловко получилось! Вот я и подумала: ну, не звать же сюда Эрвина, попробую сделать это сама.

— И что, получилось? — Я готова была говорить о чем угодно, только бы не предаваться воспоминаниям о детстве.

— Крысу я не нашла. Подошла из любопытства к макету. Хотя нет, не так. Конечно, я искала крысу и подумала еще тогда, что она может прятаться где-нибудь в макете. Но крысы не было, а в этой маленькой спаленке Розы я обнаружила на кроватке куклу. Вот эту самую.

— Ну и что?

— Да я тоже не особенно-то задумалась о том, каким образом она здесь оказалась. Мало ли. Может, здесь когда-то гостила какая-нибудь девочка, еще при Клементине.

— Клементина, это у нас кто?

— Моя свекровь. Или почти свекровь.

— Это как?

— Клементина — родная сестра его матери, Лизы, после ее смерти она стала для Эрвина как мать. Теперь понятно?

— Более или менее.

— Наташа, ты меня не перебивай. Возможно, ты еще ничего не поняла. Дело в том, что в этот же день Роза моя заболела и слегла. Она лежала с высокой температурой, ее тошнило. Словно она чем-то отравилась. Или ее кто-то отравил. Словом, эта картинка — кукла в белом переднике на кровати — повторилась в жизни...

— И все? И этого оказалось достаточным, чтобы ты испугалась?

— Нет, — она перешла на шепот: — Это еще не все! На следующее утро...

— А что с Розой-то было?

— Да с ней потом стало все в порядке, она поправилась. Но на следующее утро я вдруг вижу на крыльце другую куклу. Она стоит, привалившись к парадной двери. Это и понятно, кукла не может стоять без поддержки. Она маленькая и устроена таким образом. Словом, неустойчивая. На ней было зеленое платье. Да вот же она!

И Соня достала из коробки куклу с белыми волосами, в зеленом платье и туфлях на высоких каблуках. Размером с ладонь, как и первая кукла. Больше того, эти куклы были как бы из одной серии, очень похожи друг на друга.

— Представляешь, как я удивилась?

Я с трудом вообще могла себе представить такую ситуацию. Какие-то куклы в макете дома...

— Я спустилась, чтобы еще раз хорошенько расспросить Розу, не приходил ли кто-нибудь к нам. И в эту самую минуту, когда я стояла на лестнице, в дверь позвонили, и, поскольку Роза была в кухне, я сама открыла. Передо мной стояла молодая девушка в зеленом платье! Как и кукла!

— И что ей понадобилось? И как она вообще прошла сюда?

— Понятия не имею, да я ее тогда об этом и не спрашивала. Это она меня спросила: не продается ли дом?

— А ты разве продаешь этот дом?

— Нет, что ты?! Разве можно продавать такой шикарный дом? Конечно, содержание его недешево обходится, но все равно. Возможно, в будущем я превращу его в дорогой отель.

— А девушка? Ее, случайно, не тошнило? — пошутила я, несколько грубовато.

— Нет. — Соня как будто и не обратила внимания на мою дурацкую шутку. — Она ушла, и больше я ее не видела. Прошло несколько дней. Признаюсь, я каждое утро поднималась сюда, чтобы посмотреть, не появились ли в макете еще какие-нибудь куклы...

— Неужели появились?

— Да! Через неделю появилась новая кукла, только уже мужского пола. В синем комбинезоне. И на следующее утро в дверь снова позвонили. На этот раз Роза сама открыла, позвала меня и спросила, не требуется ли нам садовник. А нам как раз был нужен садовник! Не скажу, чтобы я активно занималась поиском садовника, нет, просто подумывала: а не привести ли в порядок газон, клумбу, маленький садик, что за домом? И тут вдруг вижу — молодой человек!

— Он был в синем комбинезоне?

— Нет. Но когда я сказала ему, что беру его на работу за триста евро в месяц, с проживанием в садовом домике и кормежкой (мы с Розой все равно не съедаем всего того, что она готовит), и он согласился, то буквально через полчаса я увидела его уже в синем комбинезоне. Он попросил нас с Розой показать ему, где находится садовый инвентарь, газонокосилка, инструменты. Роза отвела его в садовый домик и все показала. Его комнату, в том числе. Вот такая история.

— Ты поэтому и вызвала меня? — Мне надо было, чтобы в моем голосе прозвучала мягкая твердость. То есть, с одной стороны, что я вроде бы поддерживаю ее в ее страхах и опасениях, но с другой — у меня все-таки есть своя жизнь, и нечего меня отвлекать по разным пустякам.

— Да, поэтому, — просто ответила она и вздохнула.

— А чего ты боишься?

— Во-первых, привидений, а во-вторых, конечно, того, что кто-то время от времени появляется в этом доме специально для того, чтобы напугать меня.

— А смысл — пугать тебя?

— Понимаешь, этот дом довольно дорого стоит.

— На кого он оформлен?

— На моего мужа, Эрвина. Он достался ему по наследству от матери.

— Может, кто-то хочет завладеть этим домом? У тебя есть какие-нибудь мысли на этот счет?

— Не знаю. У Эрвина есть сестра. Но она много лет тому назад уехала в Парагвай, там немецкая колония. Они с Эрвином даже не переписываются. Она хорошо устроена, замужем, у нее нет детей, но, по скудным сведениям наших общих знакомых, она вполне счастлива.

— Клементина. Она оставила завещание?

— Да, конечно. И Эрвин вступил в права наследования в этом году...

— Может, у Эрвина, твоего мужа, есть еще какие-нибудь братья или сестры, о которых вы ничего не знаете? Мало ли чего не бывает на свете. Но я бы восприняла эту ситуацию с юмором, честное слово! Какие-то куклы. Все это несерьезно, Соня. Если бы кто-то, считающий, что часть дома принадлежит ему, попробовал избавиться от законного наследника, то есть от Эрвина, то и страшилки были бы другого рода, я не говорю уже о конкретных действиях. А так. Думаю, это Роза развлекается.

— Нет, Роза работает здесь давно, она жила тут при Клементине и очень ценит свою работу и положение. Я плачу ей ровно столько же, сколько платила моя свекровь. К тому же Клементина оставила и ей кое-какие средства. И вообще, надо знать Розу — она не способна на такие глупости. В ее интересах, чтобы все оставалось так, как есть.

— Тоже понятно. Ну, тогда не знаю. А ты не пробовала каким-то образом проследить, не заходит ли кто-нибудь в этот дом, то есть на чердак?

— Я однажды пыталась, но потом так захотела спать! К тому же страшновато было сидеть на лестнице перед дверью, ведущей на чердак, и поджидать привидение.

— А со мной это будет в самый раз?

— Думаю, да. Ведь ты всегда была храброй девочкой. — И тут она улыбнулась. И улыбка, надо сказать, прямо-таки осветила ее лицо. И вновь у меня промелькнула мысль, что где-то это лицо я уже видела. И эту челку, и этот тонкий аккуратный носик, и высокие скулы. Может, все не так уж и плохо, и мы действительно где-то пересекались в детстве? Может, просто моя память не сохранила никаких воспоминаний о нашей дружбе, в то время как у Сони наши отношения оставили другие следы на всю жизнь? Но в одном она права — со мной действительно в детстве трудно было соскучиться. И, несмотря на мою внешнюю благопристойность и покорность, в голове моей роились самые разные фантазии... Я однажды сумела организовать детей и отправиться за город на шашлыки, к примеру. Правда, вместо мяса я принесла сосиски, которые мы поджаривали на углях. Да и срывание уроков не обходилось без моей инициативы...

И вдруг я услышала такое, от чего буквально покрылась мурашками:

— А помнишь, как мы с помощью твоей знакомой девчонки пробрались в музей, у нее мама там работала, кажется? И мы всю ночь танцевали, орали песни, рискуя быть услышанными кем-нибудь с улицы. Гуляли по темным залам и представляли себя принцессами. Помнишь, Ната?

Я смотрела на нее и ничего не понимала. Может, моя память играет со мной злую шутку? Да, побывать ночью в музее, причем в любом, я мечтала всегда. И одна моя подружка, Юлька, действительно предложила мне однажды провести ночь в музее, где работала не то ее мать, не то бабушка. Но у нас тогда так ничего и не получилось. Хотя мне часто снился какой-то фантастический музей с картинами на стенах, с навощенным паркетным полом, с экспонатами (старинными платьями, надетыми на безголовые черные манекены и упрятанные под стеклянные колпаки), не говоря уже о музее кукол.

— Да, помню, — вновь, уже в который раз, солгала я.

— Мы были в музее уникальных кукол. — Она смотрела на меня в упор. — Помнишь?

— Да. Кажется, помню. Хотя нет. Не помню. Я только хотела. Нет, ты меня с кем-то спутала!

— Вот и славно, — она вдруг шумно вздохнула, как человек, удостоверившийся в чем-то, в чем еще недавно сильно сомневался. — Наконец-то я узнала настоящую Нату Вьюгину. До этого ты старательно делала вид, что что-то помнишь, а сейчас решила поставить меня на место. И правильно! Ни в каком музее мы с тобой не были. Так и не получилось, ты правильно сказала. Да и музей уникальных кукол открылся не так давно, лет десять тому назад. Но мечта-то у нас была, ведь так? Общая мечта?

— Была, — согласилась я, припоминая лишь Юльку Сквозникову. — Жаль, что не получилось.

— Зато теперь у нас есть возможность представить себе, будто этот чердак и есть музей. Один этаж музея. И этот макет — экспонат. Мы должны, понимаешь, схватить за руку того, кто морочит мне голову и пугает меня.

— Послушай, но почему я? — Я просто сгорала от любопытства.

— Объясняю. Если бы я рассказала кому-то из своих друзей и знакомых, живущих тут, что со мной происходит, все сразу сочли бы меня сумасшедшей. А ты — своя, понимаешь? У тебя храброе сердце и ясный ум. Ну, не знаю, как тебе еще объяснить. Мне казалось, что только ты сможешь мне помочь.

Прозвучало это все равно неубедительно.

— А как же Эрвин? Ты рассказала ему?

— С Эрвином у меня сейчас напряженные отношения. Он завел любовницу. Но разводиться с ним, понятное дело, я не хочу. Я предпочла роль затворницы в этом доме.

— Так вот тебе и весь ответ! Все эти привидения — дело рук твоего мужа, который хочет от тебя избавиться, упечь тебя в психушку! — сказала я первое, что пришло в голову. — И тогда он вместе со своей любовницей поселится в этом доме.

Сказав это, я тотчас пожалела о своих словах, подумала, что, быть может, причинила Соне боль, как вдруг услышала:

— Вот и я думаю об этом же, что дело не в доме, то есть не в наследстве, не в сестре, а именно в Эрвине, в моих с ним отношениях. И мне очень хочется схватить за руку того (или ту), кто еще раз попытается попробовать свести меня с ума! И ведь какой странный способ они выбрали! Кто бы мог подумать, что я когда-нибудь заберусь на этот чертов чердак?!

— Ты же сама сказала: крыса.

— О крысе мне сказала Роза, но она тут, повторяю, ни при чем.

— Значит, крысу на чердак запустили твои, образно выражаясь, враги, зная, что Роза поднимется туда, чтобы прибраться. Вот и все! Я даже не удивлюсь, если выяснится, что в твой вечерний чай, лимонад или молоко кто-то, знающий, как проникнуть в дом каким-нибудь тайным ходом, подсыпает снотворное, чтобы ты не смогла провести всю ночь, сидя в засаде на лестнице чердака.

— Теперь-то ты понимаешь, что я не могла и дальше оставаться одна.

Меня так и подмывало спросить: но почему же все-таки она выбрала меня, неужели за всю свою сознательную жизнь она так и не обзавелась настоящими друзьями, но я не сделала этого. Подумала: пусть все идет, как идет. Кто знает, что еще, какой сюрприз подготовила мне судьба?

11.

**Страхилица (Болгария).
Октябрь 2008 г.**

Елена Вьюгина стояла с мужем перед деревянными воротами маленького домика, крытого черепицей, смотрела с недоверием на гавкавшего желтого пса, привязанного к уродливому, с редкими досками, забору и пыталась понять, есть ли кто-то в доме или нет. Моросил дождь; вид одинокого, торчавшего среди запущенных малиновых кустов, словно обугленного, подсолнуха наводил тоску...

— Смотри, она и помидоры выращивала, видишь, ровные грядки. Бедная моя девочка! Что заставило ее спрятаться здесь?! Мне кажется, у меня сердце разорвется, если я ее увижу. Костя, ты почему молчишь? — Она оглянулась на мужа, посмотрела на него растерянно. — Ну что такого мы ей сделали?! За что она нас так не любит?

— Знаешь, — отозвался Константин Вьюгин, приближаясь к жене с зонтом и пытаясь укрыть ее от дождя, — мы с тобой так часто задавали себе этот вопрос, что теперь даже я не знаю на него ответа. Только мне в последнее время кажется, будто мы с тобой смотрим один страшный сон — на двоих. И этот дом — он тоже нам снится.

На лай собаки вышла соседка. Невысокая, в сером дождевике, в малиновых шароварах и синем платке. Симпатичная турчанка лет пятидесяти пяти.

— Какво тырсете? (Что ищете?)

— Наташа. Тут живет Наташа? — оживилась Елена, обрадовавшись появлению этой женщины.

— Да, тука живее. — И тут женщина неожиданно переключилась на русский: — Она уехала. Говорят, к приятелке, в Алманию.

— Куда?! — хором спросили Вьюгины.

— В Алманию, то есть в Германию...

— К какой еще приятельнице?! — удивилась Елена. — Когда?

— Преди едва седмица (неделю назад). Тя оставила ключове за Нуртен и заминала за Германия.

Спустя несколько минут к воротам подошла еще одна женщина с очень серьезным лицом. В отличие от первой, эта была одета побогаче и почище. В толстом вязаном жилете до колен, в темносиних шароварах и красивом красно-синем узорчатом платке, стянутом узлом на затылке. Окинула приезжих строгим взглядом с головы до ног.

— Вы — майка и баштата на Наташа, так? (Вы мама и папа Наташи?) Меня зовут Нуртен. Дождь вали! Пойдемте, я открою вам кышту. (Пойдемте, я открою вам дом.) — Это куче, Тайсон. Хубово куче. Никого не пускат. (Хорошая собака. Никого не пускает.) Ваша доштеря работала у мен. (Ваша дочь работала у меня.)

— И кем же она у вас работала? — Елена почувствовала, что ноги не слушаются ее. Она так долго искала эту Страхилицу, что теперь, когда она стояла возле дома, где, по сведениям, полученным в полиции, должна была проживать ее дочь, силы оставили ее. Она очень волновалась. И в том, что Наташа забралась в такую глушь и предпочла жизнь в маленькой болгарской деревне родной Москве, она винила исключительно себя и мужа.

— По хозяйству помогала.

— Домработница, что ли?! — ужаснулась она.

Они прошли мимо лаявшего пса по дорожке, остановились возле кривых, опасных ступенек, ведущих на маленькую террасу, выложенную кусками разноцветной плитки. Маленький домик, выкрашенный белой краской, четыре окна, низкая дверь с замком.

— Заповядайте (приглашение войти). — Нуртен распахнула дверь.

— Костя, смотри, не ударься головой. Видишь, как низко...

— Вы из России?

— Да, из Москвы. Вот, ищем Наташу. Понимаете, — говорила она, входя в маленькую кухню и удивляясь тому, что центральное место ее занимала большая дровяная печь, от которой шла выкрашенная в коричневую краску труба. Эта труба проходила над головой вдоль всей кухни и выходила в отверстие под потолком. — Понимаете, у нас был конфликт.

Она решила разговаривать с этой женщиной, которая, возможно, была единственным человеком, приютившим Наташу, помогла ей открыто.

— ... Конфликт. И Наташа уехала. Мы долго искали ее. Это оказалось довольно трудным делом. У нее ведь документы просрочены.

— Аз разбирам. (Я понимаю.)

Нуртен, заглянув в маленький навесной шкафчик и холодильник, сказала, что сейчас придет, и ушла.

— Костя. И наша дочь вот здесь живет?! — Лена села на стул и закрыла лицо руками.

— А что? Люди везде живут. Не самое плохое место, между прочим, — ответил бледный, с потухшим взглядом, Константин.

Он-то точно знал: в том, что дочь сбежала, виновен только он. Она испугалась, что в Москве ей жизни не будет, что он, ее отец, просто замучает ее упреками. К тому же она — девочка ответственная и решила, что непременно должна вернуть им деньги, которые им пришлось выложить цыганам. Вот только интересно, как она здесь, в этой деревне, решила зарабатывать деньги? Чем? Помогать по хозяйству этой симпатичной турчанке? Подметанием и стиркой много не заработаешь. — Здесь красиво, ты не заметила, Лена? Тихо. Если бы я оказался на ее месте, поступил бы точно так же. Я только не понял, куда она отправилась?

— Вроде к подружке, в Германию. Скажи, Костя, ты слышал когда-нибудь, чтобы у нее были подруги в Германии?

— Нет, ты же отлично знаешь!

— Думаешь, она снова в кого-нибудь влюбилась?

— Не смешно.

Вернулась Нуртен. В руках ее был пакет, из которого она достала банку, какие-то свертки.

— Кисело мляко, сирене (брынза), захар, кофе, хляб. — Женщина принялась накрывать на стол. Откуда-то появились маленькие чашки, тарелочки, сахарница.

— Здесь брынза — основной продукт, — заметил, вздыхая, Константин.

За те три года, прошедших с той поры, когда в их семье произошла эта трагедия с Наташей, он сильно постарел, поседел. Ему было ужасно стыдно за то, что в то время, когда они занимались поисками Наташи в Варне, он действительно больше думал о потерянных деньгах, нежели о дочери. Он был почему-то уверен, что с ней-то теперь все будет хорошо, она поправится, придет в себя, и вся эта история с Тони и с ее странным замужеством забудется. А вот денег теперь не вернуть! В те дни, когда он в сердцах отправлял из Москвы в Болгарию крупные суммы, он знал, что они идут на лечение дочери, на решение каких-то ее проблем, в это, во всяком случае, ему хотелось верить. Но когда все закончилось, им удалось вырвать Наташу из рук преступников и он увидел ее, прежнего чувства страха за дочь, за ее жизнь в его душе уже не осталось. Вместо этого в его сердце поселилась глухая злоба на каких-то посторонних людей, которые присвоили себе эти деньги, и досада на дочь, что это из-за нее, из-за ее легкомыслия он лишился таких денег. Тем более что бо́льшая часть была взята им в долг, и его надо было отдавать...

И Наташа поняла это. По его взглядам, по отрывистым фразам, по упрекам, готовым сорваться с его языка. Она не пожелала жить с родителями, которые теперь будут изводить ее напоминанием о черной странице ее жизни и, чтобы спастись от этого кошмара и, возможно, от надвигавшейся депрессии, решила переждать этот эмоциональный шторм в тихом месте. Один на один со своей болью и стыдом.

— Вероятно, она поехала на заработки, — произнес он, чтобы хоть что-то сказать.

— Да как же она могла уехать, когда у нее виза просрочена? Чтобы поехать в Германию, ей нужна шенгенская виза. А чтобы получить ее, у нее должно быть все в порядке с документами. Я уж думаю, не связалась ли она снова с этим Тони? — И тут, вспомнив, что рядом Нуртен, она, извинившись, спросила ее: — Скажите, она здесь жила одна или с молодым человеком?

— Сама, — ответила Нуртен, опуская в каждую чашку с холодной водой и кофе примитивное приспособление для варки кофе — соединенные изолентой две чайные ложки с проводом — своеобразный кипятильник. — Она живела тука сама. (Она жила здесь одна.)

— Хорошо хоть так, — немного успокоилась Елена. — Значит, хотя бы на это у нее ума хватило — не возвращаться к этому Тони. Спасибо, Нуртен, за кофе. Так хорошо пахнет! И брынза тоже выглядит аппетитно. Скажите, здорова ли была моя дочь?

— Здрава.

— У нее были проблемы с волосами. — Лена, как могла, показала на себе.

— Коса-то? Хубова коса (хорошие волосы). Всичко нормално.

— А это точно, что она уехала в Германию?

— Ей письмо пришло из Германия. От приятелки. Аз дала на ней пари, и она заминава в Германия. (Я дала ей денег, и она поехала в Германию.)

— У нее есть телефон? Вы не знаете номера ее телефона?

— Как не знам? Знам, — с этими словами Нуртен достала из кармана жилета телефон, нашла номер Наташи и протянула трубку Елене.

— Костя, у тебя есть ручка? Запиши! Мы ей сейчас позвоним, и, если она отзовется, значит, она все же в Болгарии, так?

Записали, позвонили. Нуртен и сама несколько раз попыталась дозвониться до Наташи.

— Ее няма в Болгария. Она в Алмания. Ваша-то доштеря — хубова момиче, (Много работала.) Аз платих ей сто лева. Наташа имат козы, кокошки.

— Она держит коз и кур, — перевел Константин. — Ты когда-нибудь могла бы себе представить, Лена, что наша дочь будет держать коз и кур?!

— Бедная девочка. Костя, и что же нам теперь делать?! Где ее искать?

— Живите тука. Она позвонит мне, — сказала Нуртен. — Кога позвонит, я дам вам телефон.

— Она дело говорит! Если у них были хорошие, теплые отношения, рано или поздно Наташа ей сама позвонит, расскажет, где она. Вы, Нуртен, постарайтесь расспросить ее, где она живет, в каком городе, хорошо? Может, адрес узнаете... Или ее телефон в Германии.

— Аз имам много работа, — сказала Нуртен. — Моя-то кышта близко, тука. (Я живу поблизости.) Запишите мой телефон.

Константин записал. Нуртен извинилась и ушла. Они остались одни.

— Пойду, посмотрю спальню.

— Я тоже. Что-то я так устал. Да и голова разболелась. У тебя есть таблетка?

— Есть.

В спальне они увидели хорошую, добротную кровать, аккуратно застеленную пестрым вязаным одеялом.

— Совсем другая жизнь! Все по-другому. И мне постоянно кажется, что здесь жила не наша дочь, а какая-нибудь другая Наташа, ее тезка. — Она подошла к мужу и обняла его. — Костя...

И женщина заплакала.

12.

Мюнхен, октябрь 2008 г.

После всех этих странных разговоров с Соней я долго еще не могла прийти в себя. Я, реалистка до мозга костей, никогда не верила в привидения, в потусторонние силы, а потому понимала: все, о чем она мне рассказала, либо плод ее больного воображения, либо ей действительно кто-то морочит голову. И дело тут может быть как в ее муже, который завел другую женщину и не хочет при разводе делиться со своей законной супругой, так и в доме, в деньгах, словом, в том, что может представлять собою материальную ценность. Кто знает, может, в этом доме спрятано сокровище, и цель преступника — сделать все возможное, чтобы здание поскорее освободилось? Возможно, кто-то положил глаз на этот дом, хочет его купить и для этого пытается навести страх на его единственную обитательницу? Каких только историй я не слышала в своей жизни на эту тему! Одно мне оставалось неясным: при чем здесь я? И кто такая Соня?

За ужином я предложила ей план действий. А почему бы и нет? Раз она пригласила меня для того, чтобы помочь ей разобраться в ситуации, значит, зная меня (вернее, ту за кого она меня принимает), мой характер (вероятно, моя тезка обладала, помимо решительности и храброго сердца, еще и предприимчивостью), она ждала от меня каких-то действий.

— Чтобы не тянуть со всем этим, я предлагаю остаться на ночь на чердаке. Будем дежурить. Возьмем термос с кофе и затаимся. Только вот где именно? Надо бы, чтобы человек, кого мы про себя будем называть «вором», не знал, что мы находимся поблизости от макета. Значит, нам надо каким-то образом спрятаться в темном углу. Поначалу, если будет все тихо и спокойно, мы будем сидеть на стульях (кажется, я видела там стулья), можно даже расстелить на полу старые одеяла, чтобы поджидать вора лежа. Когда же мы услышим звуки приближающихся шагов, сразу спрячемся в укромном месте. Там, на чердаке, есть укромные места?

— Да сколько угодно! Ты думаешь, я не хотела там подежурить? Но одно дело — одна, а другое — вдвоем.

— Как ты думаешь, когда приблизительно в «доме» — я имею в виду макет — появляются эти человечки?

— Думаю, после полуночи. Потому что часов до двенадцати Роза еще ходит до дому, что-то делает. У нее бессонница, и она старается как-то убить время. А потом она пьет снотворное, запирается в спальне и спит до шести утра.

— Понятно. Да, кстати, о снотворном. Я сама могу приготовить кофе, понимаешь? Собственоручно.

— Думаешь, в этом замешана Роза?!

— Я пока еще ничего не думаю. Но ради предосторожности кофе сварю сама и термос перед этим хорошенько вымою.

— Да, ты права. Господи, как же хорошо, что ты приехала! Я тут чуть с ума не сошла.

— Ладно, не причитай. И вообще, Соня, по жизни надо идти с улыбкой. И в каждом событии искать что-нибудь позитивное. Вот ты живешь и не знаешь, какие испытания порою выпадают на долю других людей. Ты живешь своими проблемами, это понятно, но, чтобы почувствовать себя более благополучной, достаточно оглянуться и увидеть, что великое множество женщин живут в тысячу раз хуже.

— Да, я понимаю, о чем ты говоришь. Конечно, со стороны может показаться, что у меня жизнь сложилась удачно. Замужем я за красивым мужчиной, деньги есть. Да и внешностью меня Бог не обидел. Но я так несчастна, если бы ты только знала! И ничто меня не радует. Знаешь, когда я только вышла замуж и поселилась в Берлине, мне так все нравилось. Эрвин был внимателен ко мне, нежен. Мы были счастливы, что и говорить! Единственно, что омрачало нашу семейную жизнь — это отсутствие детей. Я думаю, в этом вина Эрвина, поскольку у меня в этом плане все в порядке, мне доктор так и сказала: вам, Софи, рожать и рожать! Я предложила Эрвину взять приемного ребенка, он сказал, что подумает. Время шло, мы жили для себя. И не скажу, что я очень уж страдала без ребенка. Когда имеешь деньги, всегда найдешь занятие по душе. Но я, признаться честно, больше бездельничала. Да я и сейчас занимаюсь этим же, — она засмеялась. — Некоторые думают, что это скучно. Ничего подобного! Я просто живу, понимаешь? Много сплю, ем, что мне нравится, гуляю, хожу в кино. Читаю книги. И я бы и дальше продолжала пребывать в этом блаженном состоянии, если бы не переезд в этот дом и эти чертовы куклы!

— А ты не пыталась узнать, где продаются такие куклы?

— Да везде, где вообще продаются игрушки. Это, пожалуй, самые дешевые небольшие куклы, еще можно купить для них одежду, словом, мечта каждой девчонки!

— Значит, тот, кто придумал весь этот кукольный маскарад, покупает куклу, надевает на нее одежду, похожую на ту, в которой появится твой очередной посетитель. Все это легко срежиссировать, ты не находишь?

— Нахожу. Просто мне страшно, что по моему дому, пока я сплю, кто-то расхаживает, забирается на чердак! А тебе разве не было бы страшно?

— Конечно, это страшно. Но вы с Розой должны были осмотреть дом, проверить, хорошо ли запираются все окна, есть ли черный ход.

— Конечно, есть! Со стороны сада. Но мы запираем эту дверь...

— А может, проникают через крышу? Может, там тоже есть окна?

— Есть, только они плотно закрыты ночью. Думаешь, я не осматривала дом? Мы с Розой все просмотрели, проверили.

— Но если это не привидение, то как-то оно все-таки проникает в дом.

— Я уже не знаю, что и думать.

После ужина я немного отдохнула (неизвестно от чего, возможно, от мыслей и своих тревог), даже вздремнула, после чего приняла душ, надела удобную теплую одежду и вышла из своей комнаты. В гостиной меня уже поджидала Соня. Она надела джинсы и свитер.

— Пойдем в кухню, Розы там сейчас нет, она в своей комнате, смотрит сериал. Я покажу тебе, где кофе и термос. Помогу тебе приготовить кофе. Ты какой любишь: арабику или якобс?

— Я делаю смесь из того кофе, который мне нравится.

— Пойдем-пойдем, я покажу тебе, как пользоваться моей кофе-машиной.

Большая кухня с красивой бледно-зеленой мебелью, зелеными с оранжевым занавесками, с большим овальным столом, камином, украшенным старинной кухонной посудой — медными котелками, потрескавшимися от времени, потускневшими фаянсовыми супницами и салатницами, с целой коллекцией пивных кружек (от прозрачных, с железными крышечками, керамических, расписанных в средневековом духе, и до пузатых, деревянных, стянутых металлическими обручами). Вместе со всей этой незамысловатой и приятной глазу античностью легко уживались электрические бытовые машины, среди которых примостилась ярко-синяя кофейная машина с кувшинчиком-термосом. При виде этой кофеварки сердце мое забилось быстрее — в нашей московской кухне была точно такая же!

— Узнаешь? — улыбнулась Соня.

— А ты откуда знаешь?!

— Я же тебя искала. Была у твоих родителей. Они-то и рассказали мне, что ты пропала, исчезла в неизвестном направлении, причем твое исчезновение не криминального, так сказать, характера. Что ты попросту сбежала от них, была у тебя история с каким-то Тони...

Я смотрела на нее, совершенно сбитая с толку. Так, значит, ей была нужна *именно* я, а не моя неизвестная тезка!!! И она искала меня в Москве, была в нашей московской квартире, встречалась с моими родителями!

Значит, она была когда-то в детстве знакома именно со мной, вот только почему я об этом ничего не знаю и не помню — большой вопрос! Может, у меня проблемы с памятью, о которых я не знаю?! И Соня на самом деле была моей закадычной подругой?

Родители рассказали ей о Тони. Это на них похоже! Они сейчас кому угодно перескажут всю мою жизнь, лишь бы кто-нибудь помог им найти меня. Выложат все, причем с соответствующими комментариями. Представляя себе эту унизительную для меня сцену, я даже испытала чувство облегчения оттого, что им меня теперь уж точно не найти. И если в Болгарии еще меня можно вычислить, поскольку моя фамилия засветилась в связи с покупкой дома в Страхилице, то уж здесь, в Германии, — это просто невозможно.

— Да, была одна история...

Удивительное дело, но теперь, когда мне стало ясно, что я нахожусь здесь не на птичьих правах и Соня действительно хотела, чтобы к ней в трудную минуту приехала именно я, чувствовать я себя стала иначе. Более уверенно и спокойно. Уж теперь-то меня точно никто не разоблачит и не скажет: что же это ты, подруга, ввела меня в заблуждение, ведь ты — это не ты, вернее, *не она*...

— Постой, а как же здесь оказалась наша кофеварка?!

— Да это не ваша кофеварка, просто она точно такая же. Я купила ее по случаю здесь, в Мюнхене, она же немецкая. Подумала: когда ты приедешь, тебе будет приятно увидеть здесь вещицу, напоминающую о доме.

— Вот в этом ты ошиблась, — произнесла я холодновато. — И мне меньше всего хотелось бы вспоминать и свой дом, и родителей.

Тут я запнулась, неуверенная в том, что мне хотелось бы рассказывать Соне, девушке, которую я по-прежнему продолжала считать чужой, посторонней, свою историю.

Однако ночь развязывает языки и способствует тому, чтобы люди открывали друг другу душу.

Поэтому, когда мы, прихватив с собой термос с кофе и чашки, поднялись на чердак и заняли там оборонительную позицию, я не выдержала и рассказала ей о своей любви к Тони, о том, как меня чуть не продали на органы, как Тони погиб, как мне трудно было находиться рядом со своими родителями и как я приняла решение сбежать от них.

— Да, приблизительно так они мне и рассказывали, — проговорила приглушенным голосом Соня. — Конечно, не обошлось без оценки твоих поступков. Они вообще считают тебя девушкой с тяжелым характером, неуживчивой. Да и с молодыми людьми у тебя отношения как-то не складывались, это правда?

— Да просто мне не с кем было их складывать, понимаешь? Когда мне начинал кто-то нравиться еще в школе, оказывалось, что этот парень влюблен в мою одноклассницу. А те, кто не нравился мне, ходили за мной по пятам, оказывали мне знаки внимания, дарили цветы. Конечно, девчонке такое всегда приятно, это повышает самооценку, но я-то всегда считала их аутсайдерами, понимаешь?

— И что же это были за парни?

— В основном, как это принято сейчас говорить, скучные «ботаники». Отличники. Мальчики робкие, но страстные, — здесь я улыбнулась, вспомнив Фиму, парня, который однажды, провожая меня домой после кино, не выдержал и набросился на меня, хотел поцеловать. Я еле от него отбилась. Хорошо, что он не обиделся, и мы до последнего дня поддерживали приятельские отношения. Он надежный парень, всегда поможет. К тому же у него мне почему-то не стыдно было просить денег в долг. Он знал, что я всегда отдам...

— «Ботаники» — это я понимаю. Возможно, они и скучные, зато перспективные. Сейчас мозги, знаешь, как ценятся!

— Вероятно, у меня как раз проблемы с мозгами, раз я этого не понимаю.

— К тому же такой мальчик, когда вырастет, будет хорошим семьянином, порядочным. Не будет гулять на стороне. Понимаешь, у таких людей порядок не только в тетрадках, документах и в мозгах. У них порядок в душе! Он знают, как правильно жить, чтобы проблемы в семье не отвлекали их от основной работы. Но мы же — дуры! И всегда выбираем мальчиков с криминальным душком, красивых разгильдяев. Вот у меня — Эрвин. Красивый был парень, я влюбилась в него без памяти.

— А где ты его нашла?

— Он в Москву приехал, по делам. Встретились мы в одной компании, нас познакомили, потом он приехал еще раз, но уже лично ко мне. Все это время мы переписывались по Интернету.

— Вот и я тоже по Интернету, — я снова вспомнила щемящие письма Тони, его признания в любви, желание создать со мной семью.

— Но как же случилось, что его убили?

— Не знаю подробностей. Его мать, ее тоже звали Розой, сказала мне об этом. Потом еще кто-то из родни подтвердил. Все они казались мне на одно лицо, и я их ненавидела.

— Еще бы! За что их тебе любить, если они собирались убить тебя? Вот ты рассказала мне эту страшную историю, а я все думаю: почему Тони не предупредил тебя о том, что тебя ждет, когда ты переступишь порог их дома?

— Он сказал мне, что разговаривал с матерью и убедил ее в том, что он любит меня по-настоящему, что это не какой-то там курортный или интернетовский, виртуальный роман. Она выслушала его, успокоила и сказала, что, если ее сын полюбил девушку, она не станет препятствовать нашей свадьбе. Конечно, она уверила его в том, что они не тронут меня, все-таки я — невеста Тони. Но, вероятно, у преступников свои понятия. Думаю, Роза в первую очередь увидела во мне источник получения денег. Я же была хорошо одета, да и деньги у меня были.

Мне вдруг показалось, что я слышу шаги на лестнице. Я схватила Соню за руку.

— Тс. Слышишь?!

— Да. Как будто кто-то ходит...

И тут мы услышали, что по лестнице действительно кто-то поднимается. Неторопливо, как к себе домой.

Мы спрятались за старым столом и замерли. Скрипнула дверь, просунулась голова, и мы услышали шепот:

— Соня. Это я, Роза. Вы еще здесь? Просто я хочу сказать вам, что никак не могу найти кофейник. Хотела вам кофе приготовить.

Я подумала, что Роза неплохо владеет русским языком. Подумала — и расхохоталась.

13.

Мюнхен, октябрь 2008 г.

Ранним утром следующего дня Роза Шиллинг навестила свою подругу, фрау Майер, жившую всего в пяти минутах ходьбы от ее дома. Катлин Майер была вдовой, жила одна в большом доме и почти все время отдавала саду. И на этот раз Роза нашла ее в саду, где та убирала листья с розовой клумбы. В дождевике и длинных перчатках, Катлин, невысокая брюнетка в голубом берете под цвет глаз, улыбнулась, увидев Розу. Подруги обнялись.

— Рада тебя видеть, Роза! Проходи. Знаешь ведь, работа в саду не прекращается никогда, даже в такие пасмурные дни я всегда что-нибудь делаю. С тех пор, как умер мой Гельмут, мне даже в дом идти не хочется — там каждая вещь, все-все напоминает мне о нем. Так тяжело. Но жизнь продолжается, — сказала она, улыбаясь сквозь слезы. — Пойдем, я угощу тебя новым салатом. Я сегодня встала в пять утра, не знала, чем себя занять. Вот и приготовила салат из мягкого сыра и петрушки. Ну, сама попробуешь.

За завтраком Роза все больше молчала, и Катлин поняла, что подруга снова чем-то озабочена. С тех пор, как в доме поселилась эта русская, которая называет себя Софи, Роза даже похудела. И не то чтобы у них не сложились отношения, тогда Роза сразу же ушла бы работать к Крафтам (они ждут не дождутся, когда Роза придет к ним, чтобы уволить, наконец, свою нахальную, ленивую служанку Катарину), но что-то не давало Розе покоя, это сразу бросалось в глаза.

— Ну что, подруга, может, расскажешь, что у вас там происходит?

— Ладно, расскажу. — Роза поковырялась вилкой в сырном салате, затем отложила прибор в сторону и отпила несколько глотков кофе. — Не хотела рассказывать по одной простой причине: поначалу мне показалось все это несерьезным, понимаешь? Но теперь. Теперь я уже не могу закрывать глаза на то, что происходит в нашем доме...

— Наконец-то! Что случилось, Роза?

— Все вертится вокруг макета. Ты же помнишь его? Я тебе его показывала, когда Клементина, уже овдовев, уехала развеяться в Африку и дом стоял пустым.

— Да. Клементина. Какая чудесная была женщина! Конечно, помню! Он, как настоящий дом, этот макет. И что с ним случилось? Ты нечаянно сломала один этаж? Или сразу два?

— Так я и знала! Если ты иронизируешь сейчас — по ничтожному поводу, можно себе представить, как ты себя поведешь, когда я расскажу тебе то, что собираюсь.

Роза нахмурила тонко выщипанные брови и привычным движением поправила волнистую светлую прядь на лбу. Она была очень ухоженной, аккуратно одетой во все светлое женщиной. Нежный природный румянец заливал ее пухлые щеки.

Они сидели в уютной гостиной, где стоял диван с обивкой в красных и голубых розах, были там шелковые шторы в розочках, в центре круглого, крытого белой кружевной скатертью стола — пузатая ваза красного прозрачного стекла, в которой благоухали поздние бордовые и белые хризантемы.

— Ладно, Роза, не обижайся. Понимаешь, до недавних пор ты была такой спокойной, казалось, все тебя в жизни устраивает. Работаешь в хорошем богатом доме, деньги откладываешь, квартира имеется, и даже кое-кто раз в неделю наведывается к тебе...

— Ладно тебе, Катлин! Не время сейчас говорить о подобных глупостях. Чувствую я, что в нашем доме назревает что-то нехорошее. Как тебе объяснить — не знаю.

— Ты сказала, что все крутится вокруг макета?

— Да. Я же убираю на чердаке, и макет этот тоже протираю. Как ты понимаешь, он стоит там давно, и, чтобы протереть все, мне приходится снимать этажи, чтобы легче было убрать в этих маленьких комнатках.

— Да я помню, этот макет — прелесть, что такое! Особенно для детей.

— Для детей, — она усмехнулась. — Если бы! В том-то и дело, что в этот дом играют взрослые, а точнее — моя новая хозяйка. Я сама видела, как она расставляла внутри него какие-то куклы.

— Куклы?! Неужели она играла? Может, она малость того?

— Да вроде бы нормальная девушка. Я поднимаюсь однажды наверх, чтобы убраться, и слышу, Софи там как будто с кем-то разговаривает. Я, правда, сначала подумала, что она говорит по телефону, приоткрыла дверь (она меня не заметила), смотрю — она играет с маленькими такими куклами.

— Ты, наверное, разыгрываешь меня? — Катлин посмотрела на Розу с недоверием. — Как это... играет?!

— Может, и не играет, но рассматривает каких-то кукол. И рассуждает сама с собой вслух: мол, и как это ты здесь оказалась? И тут я не выдержала и дала о себе знать. Понимаешь, мне было неудобно и дальше слушать и смотреть весь этот странный спектакль. К тому же мне было просто любопытно — что она делает? И я сделала вид, что только что открыла дверь, да еще и хлопнула ею — вот, мол, я пришла!

— И что, она испугалась?

— Не то чтобы испугалась. Нет, она не вела себя, как человек, которого застали за чем-то неприличным или за тем, что ей хотелось бы скрыть. Ничего подобного. Она даже как будто обрадовалась и позвала меня. Смотрите, Роза, говорит она мне, что я здесь нашла!

Я подошла и смотрю — кукла. В зеленом платье. Блондинка.

— Роза! — воскликнула удивленная Катлин.

— Говорю же — блондинка в зеленом платье!

— Ну и что?

— А то, что Софи предложила мне сесть и рассказала удивительную историю. Будто она сначала обнаружила в той комнатке в макете, которая соответствует моей настоящей комнате в доме, куклу в белом переднике, совсем, как у меня. И кукла эта лежала как бы на моей кровати.

— Господи, бред какой-то, честное слово!

— Если бы! Понимаешь, Катлин, это случилось за день до того, как я заболела. Ты помнишь, где-то полмесяца тому назад я заболела? Мне было так плохо! Я же звонила еще тогда тебе.

— Конечно, помню! Но при чем здесь кукла?

— Но так получилось, что будто кто-то, подкинувший в мою кровать эту куклу, знал, что я заболею.

— Да она дурачит тебя, пугает! Может, хочет, чтобы ты уволилась?

— Нет, она не такой человек. Она бы прямо мне сказала. У нас с ней хорошие, теплые отношения, и она, насколько я чувствую, ценит меня, говорит, ей повезло, что у нее есть такая помощница, как я.

— Тогда я вообще ничего не понимаю!

— Теперь слушай про куклу в зеленом платье. Словом, объявилась посетительница. Молодая женщина в зеленом платье пришла и спросила, не продается ли дом! Понимаешь?!

— Да уж, действительно, чертовщина какая-то. И что было потом? Еще появлялись... куклы?

— Нет. Но вместо куклы в доме появилась живая девушка. Ее зовут Наташа. Она совершенно ничего не понимает по-немецки. Я так и не разобралась, кто она и откуда взялась. Но Софи ее ждала, это точно. Заранее попросила меня приготовить ей комнату, она нервничала, ожидая эту Наташу. Я думаю, это ее подруга из России. Моя хозяйка испугалась и вызвала ее. Она ей и деньги отправила. Мы с ней как раз по магазинам поехали, так она остановилась возле банка, сказала, что ей надо деньги отправить. Думаю, для нее. На дорогу.

— Вот и хорошо. Теперь вас в доме стало больше. И вам не так страшно будет.

— Может, и так. Да я все вчера им испортила. Представляешь, они решили дежурить ночью на чердаке, чтобы понять, кто проникает туда и зачем подкладывает этих странных кукол. Я случайно подслушала их разговор и подумала, что они не выдержат и уснут. Ты знаешь, у меня бессонница, я долго не могла уснуть, а поздно ночью решила сварить им кофе. Пришла на кухню, а кофейника-термоса нет. И я подумала: они сварили кофе и взяли его с собой на чердак.

— Правильно. Чтобы не уснуть.

— Это-то понятно. А теперь скажи мне, Катлин, почему Софи не попросила меня приготовить им кофе, тем более что она знала — я не сплю?

Катлин остановила взгляд своих ярко-голубых глаз на подруге. Она начала догадываться.

— Они не доверяют тебе! Думают, что это ты подкладываешь этих кукол? Так? Ты так думаешь?

— А как еще я должна думать, если мне уже не доверяют приготовить кофе?! Думают, что я подмешиваю туда снотворное, а сама... играю в кукол на чердаке! Мне обидно стало, вот я и пришла к тебе, чтобы посоветоваться, что мне делать дальше. Конечно, можно совсем явно обидеться и уйти, но я столько лет работаю в этом доме. А что меня ждет у Крафтов — я не знаю. Сила привычки — великая вещь.

— Думаю, тебе надо просто по душам поговорить с Софи, объясниться с ней, понимаешь? Скажи, что ты переживаешь.

— Да, я места себе не нахожу! Нервничаю.

— Знаешь, моя дорогая, есть еще один выход. Правда, зная твой характер... ты можешь не согласиться, но все равно — выслушай мое предложение. — И Катлин взяла подругу за руку. — Я живу одна. В большом доме. Деньги у меня, как тебе известно, есть, мне Гельмут много оставил. Детей у меня нет, внуков — тоже. Переезжай ко мне, и мы будем жить вместе! На Рождство поедем в Чехию, сменим обстановку, развлечемся. Мне одной-то скучно, сама понимаешь.

— В Чехию я с тобой поеду, это не проблема, но принять твое предложение и жить у тебя, нигде не работая, я, наверное, не смогу. Я всю жизнь работаю, ты знаешь.

— Мы будем вместе с тобой ухаживать за садом. Да работы в доме всегда много. Соглашайся, Роза.

Роза улыбнулась. Ей было приятно, что кто-то хочет жить с ней под одной крышей, что ей доверяют.

— Хорошо, Катлин, я подумаю.

— Вот и отлично! — Катлин даже захлопала в ладоши. — Между прочим, ты так и не попробовала мой новый салат. Еще подруга, называется!

14.

Мюнхен, октябрь 2008 г.

Я проснулась с тяжелой головой. Пыталась вспомнить, как же прошел остаток ночи, но так и не вспомнила. Роза. Пришла Роза, мы все смеялись над пропажей кофейника, а потом... А что было потом? Разошлись по своим комнатам? Или что? И почему у меня такая тяжелая голова? Может, и мне кто-то каким-то образом подмешал снотворное? Но тогда надо срочно выяснить, как чувствует себя Соня, да и Роза тоже. Может, их слова что-то прояснят в моей памяти?

Я встала под душ, сделала воду еле теплой, чтобы потом, уменьшая температуру, довести ее до холодной — мне надо было прийти в себя. Взбодрившись и почувствовав себя намного лучше, я накинула халат, вышла из комнаты и спустилась в надежде встретить Розу. Но ее в кухне не было, что меня очень удивило — ведь было самое время готовить завтрак. Может, ей нездоровится или Соня ее отпустила?

Услышав шорох за спиной, я резко обернулась и увидела Соню. Она тоже была в халате, лицо заспанное, на бледно-розовой щеке отпечатался кружевной узор от подушки или простыни.

— Соня, доброе утро. Послушай, я не помню ничего из вчерашней ночи. Полный провал памяти! Помню только, что пришла Роза, и мы все вместе смеялись. А что было потом?

Соня была явно не в духе. Она прошла мимо меня, открыла холодильник. Достала бутылку с молоком и отхлебнула из горлышка.

— Не знаю. Я уже вообще ничего не знаю. — Она не смотрела на меня и казалась задумчивой и озабоченной. — Я проснулась и тоже не могла взять в толк, чем же закончилось наше так называемое дежурство.

— Розы нет. Я думала, она в кухне, готовит завтрак?

— Точно не помню, но, кажется, я ее отпустила. Она что-то говорила про заболевшую подругу.

— Ну вот, ты хотя бы что-то помнишь.

— Ты была наверху?

— Когда? — не поняла я.

— Да сейчас, сегодня...

— Нет. Я проснулась, приняла душ и сразу пришла сюда, хотела найти тебя и расспросить, как ты спала. А что? Надо было пойти туда?

— Да откуда я знаю?! Видишь, какие странные вещи происходят в этом доме?

— Розы нет. Тебе не кажется это подозрительным?

И только сейчас я заметила, что Соня смотрит в окно, причем пристально, словно ее там что-то сильно заинтересовало. Я подошла и увидела, что в саду дымится костер. И что мужчина в синем комбинезоне собирает в мешок мусор и листья.

— Это мой садовник. Его зовут Уве. Страшный бездельник! Вчера, например, он весь день проспал в своем садовом домике. Я зашла к нему утром, принесла семена турецкой гвоздики, чтобы попросить его посеять в ящике, смотрю — спит этот Уве, а рядом с ним на полу целая батарея пивных бутылок. Короче, надо искать другого садовника, а не держать зря того, которого «подсказал» мне макет.

— Кто подсказал?

— Макет!

— Соня, прошу тебя, не говори глупости! Ничего тебе макет не подсказывает. Все это — лишь стечение обстоятельств.

И тут она резко повернулась и посмотрела на меня в упор:

— Ты что, думаешь, я свихнулась?! Что цель кем-то достигнута, и у меня крыша поехала от всего этого?! Наташа, ты чего молчишь? Отвечай!

— Ты должна успокоиться, и мы с тобой вместе обсудим, как нам действовать дальше. Кстати говоря, тебе не приходило в голову обратиться в полицию?

— В полицию?! Это еще зачем? Рассказать им про куклы в макете?!

— Погоди кипятиться, понятное дело, что ты ничего не рассказала бы им об этих куклах, тем более, что история очень странная и все больше смахивает на розыгрыш. Но ты могла бы просто им сказать, что в доме кто-то бывает ночью, понимаешь? И что ты боишься спать.

— Они приедут, поставят машину у крыльца, и ты думаешь, что, увидев машину, «вор» захочет быть пойманным?

— Но существуют же и другие способы. Зачем же ставить машину у крыльца, когда они просто могут выделить одного полицейского, который незаметно проберется в дом, чтобы просидеть в засаде всю ночь у двери на чердак? Во всяком случае, он — профессионал, знает свое дело, не то что мы.

— Но если никто не придет, мне надо будет заплатить за ложный вызов, понимаешь?

— Соня, с тобой так трудно... создается такое впечатление, что ты и сама не хочешь, чтобы этого твоего «кукольного вора», «кукольника» этого, поймали.

— Я хочу, но боюсь. И вообще, у меня какое-то нехорошее предчувствие...

— Ты была на чердаке? — спросила я, тем самым как бы намекая ей, что пора бы наведаться туда, посмотреть, может, и на этот раз этот «кукольник» приготовил очередной сюрприз.

— Нет, не была. А что, надо пойти?

— Думаю, да. Ведь если я все утро чувствую себя так, словно меня с вечера накачали снотворным, может, это не случайно и нам с тобою действительно кто-то что-то подсыпал.

— Наташа. Ты пугаешь меня! Ну ладно, я пойду. Вернее, мы с тобой пойдем.

— Иди, я поднимусь следом. Вот только таблетку от головной боли приму.

Я сделала вид, что ухожу в свою комнату, проследила за тем, чтобы Соня начала подниматься по лестнице, вернулась, взяла из буфета крохотную кофейную чашку, бумажные салфетки и положила все это в карман. Оказавшись у себя, я заперлась в ванной комнате, разбила чашку о край ванны, собрала осколки, завернула их в салфетку и снова положила в карман. Вышла из комнаты и поднялась на чердак. Открыла дверь, но Сони там не оказалось.

— Соня!

Нет, ее определенно не было на чердаке. Тогда я спустилась на несколько ступеней вниз и громко позвала ее:

— Соня!

В ответ — тишина. Вероятно, она побоялась заходить на чердак одна. Тогда я снова поднялась, вошла в чердачную комнату, подошла к макету и, бегло осмотрев его, вынула из кармана осколки чашки и рассыпала их в макетной кухне. Потом выбежала с чердака и спустилась в настоящую кухню. Соня сидела за столом и что-то пила. Вид у нее был виноватый.

— Я не смогла, — сказала она. — Я боюсь. Решила принять успокоительное. Ты выпила таблетку от головной боли?

— Выпила. А что?

— Пойдем туда вместе. Пожалуйста.

— Хорошо.

Мы поднялись на чердак, вошли и остановились возле «дома».

— Нет, как же все-таки хорошо, что нас теперь двое! Ну, ты что-нибудь видишь? — Соня обошла макет, приподняла крышу, осмотрела этажи, заглянула в комнатки с видом Гулливера, пытавшегося проникнуть в дом лилипутов.

— Как будто, ничего. Хотя. Подожди. Помоги мне приподнять крышу.

Мы сняли крышу и поставили ее на пол, потом вместе приподняли второй этаж, и тут Соня, подняв на меня округлившиеся от ужаса глаза, прошептала:

— Там, в кухне. Смотри!

— А что там? — Я заглянула и увидела рассыпанные мною осколки чайной чашки. — Битое стекло.

— Ну! Если мы ночью спали, то кто же мог положить туда эти осколки?!

— Не знаю. Да и что это может означать?

Я включилась в эту игру, чтобы понять, что же происходит на самом деле. Если бы Соня сама подкладывала туда этих кукол, то, увидев осколки, она повела бы себя несколько иначе. Думаю, она бы удивилась так, что это бросилось бы в глаза, ее удивление было бы в сто раз сильнее, поскольку в этом случае получалось бы: на чердаке действительно был кто-то посторонний, или же... или же она догадалась бы, что это моя шутка. Но она вела себя, как мне показалось, довольно естественно, так же, как прежде. Испуганная, встревоженная, но нешокированная — вот какая она была. Хотя, конечно, она могла просто держать себя в руках, чтобы не выдать волнения. Собственно говоря, что я знала тогда о Соне? Ни-че-го!

— Странно. Может, вскоре кто-то разобьет окно в кухне? — пробормотала она.

— Что будем делать, Соня? Надо же что-то предпринимать, время идет, ты нервничаешь.

Она на самом деле выглядела очень нервной, взволнованной. И ее волнение явно нарастало.

— Подумай сама: осколки. Да ерунда все это! Может, нам заняться чем-нибудь таким, что могло бы, к примеру, дать нам возможность немного развеяться, отвлечься?

Соня смотрела на меня какое-то время, словно никак не могла взять в толк, что я имею в виду, после чего кивнула и вздохнула:

— Господи, ну конечно! И как это я сразу не догадалась?! Ты же в первый раз в Германии?

— Конечно, в первый.

— Ты хочешь посмотреть Мюнхен! Я ужасная эгоистка, извини меня. Навалила на тебя свои проблемы. Думаю только о себе. Ты считаешь, что они выеденного яйца не стоят? Может, ты и права, да только уж позволь мне остаться при своем мнении: осколки в макете не могли появиться сами по себе.

Но... ладно, оставим все это. Действительно, давай поедем куда-нибудь, развеемся. Я бы предложила тебе отправиться посмотреть дворец Нимфенбург, там очень красиво. Давай позавтракаем? Уверена, Роза все же сварила нам кофе и оставила его в термосе. Да и яйца тоже. Ты ешь куриные яйца на завтрак? Всмятку?

— Там, где я недавно жила, у меня были свои куры. Вернее, они есть и сейчас.

— Скажи еще, что ты по ним скучаешь, — усмехнулась Соня, и, пожалуй, впервые за много часов, проведенных рядом с ней, я испытала к ней чувство неприязни. Мне было неприятно, что она ставит себя выше меня только лишь потому, что ей посчастливилось выйти замуж за своего Эрвина и получить этот дом в наследство.

— Скучаю, — сказала я твердым голосом и вдруг почувствовала, что готова заплакать. И волна какого-то странного сожаления захлестнула меня: я вспомнила Нуртен, Нежмие.

— Разве можно скучать по курам? — искренне удивилась Соня.

— Послушай, мне необходимо позвонить...

— Куда?

И это мне тоже не понравилось. Конечно, я находилась на ее территории, была ее гостьей, тогда тем более: она должна была вести себя уважительно.

— Нуртен, своей знакомой, в Страхилицу. Я обещала, что позвоню ей и расскажу, как у меня дела.

— А что, ты обязана кому-то докладывать о том, где ты и что с тобой? — Соня посмотрела на меня с недоверием. — Или, может, ты решила вернуться? Ты тоже думаешь, что у меня не все в порядке с головой? Ты боишься оставаться в этом доме?

— Нет, я ничего не боюсь. Просто Нуртен ждет моего звонка. Она много сделала для меня, она беспокоится, понимаешь? Это — нормальные человеческие отношения.

— Хорошо, извини. Вот тебе мой телефон. Какой номер?

Я продиктовала на память. И, услышав в трубке «Efendim?», почувствовала, что на глаза мои навернулись слезы.

— Нуртен, это я, Наташа!

— Как ти? — тихо спросила она. — Ти в Германия?

— Да.

— Твои майка и баштата тука, в Страхилица.

— Что? Что вы сказали?!

Она повторила. Но я не могла в это поверить.

— Мои родители в Страхилице?! Но что они там делают?

— Смотрят твоих кокошек, майка твоя доит козу и плачет, много плачет. Она много обичат теб. (Она сильно любит тебя.)

— Вы не шутите, Нуртен? Как они меня нашли?

— Консульство в Варна помогли, сигурно. Не знам. Не знам, Наташа. Они чакат теб. (Они ждут тебя.)

— Пусть не ждут! Не хочу их видеть, Нуртен. Понимаете? Я же рассказывала вам.

— Не знам, Наташа, не знам. Где ти? Какой град?

— Мюнхен.

Зачем я это сказала? Хотя не помчатся же они искать меня в Мюнхене?! Сказала и сказала. Ладно!

— Все нормально, Нуртен?

— Нормально, Наташа, не волнуйся. Звони.

— Хорошо, я позвоню.

Я вернула телефон Соне, которая во время этого разговора не спускала с меня глаз.

— Представляешь, мои родители ищут меня. Сейчас они в Страхилице. Нуртен, моя соседка, говорит, что мама кормит моих кур и доит коз. И чего только не бывает на свете!

— Ну, все? Успокоилась? Поностальгировала?

Я спросила себя: что я делаю здесь, и ответа не нашла.

— Ладно, не обижайся, просто я не люблю эти сахарно-сиропные дела. Мамочка и папочка приехали в Болгарию, чтобы разыскать свою сбежавшую дочку! А где они раньше-то были, когда могли удержать тебя? Зачем было тебя упрекать, напоминать о деньгах, которые они потеряли из-за тебя?

Ты же не виновата! На твоем месте могла бы оказаться любая другая русская девчонка. Они должны были понимать, что ты пережила сильнейший стресс и нуждаешься в их заботе и любви.

— Не сыпь мне соль на раны. — Я посмотрела на нее, и мне показалось, что она все поняла.

— Хорошо. Давай позавтракаем и поедем в городе.

Когда Соня выводила новенький «Рено» из гаража, расположенного внизу левого крыла дома, появилась Роза. Она перебросилась парой слов с Соней, после чего вошла в дом. Садясь в машину, я задала себе вопрос: правильно ли я поступила, не отказавшись от предложенной мне экскурсии по дворцу? Ведь я отлично знала, что Сонина голова занята совершенно другим, что она ждет от меня конкретной помощи. Но, с другой стороны, что я могла сделать для нее? Может, поговорить с ней начистоту, сказать, что я не помню ее, у меня никогда не было подруги по имени Соня, та, кого она ждет, — совершенно другой человек? Ведь могла случиться такая ситуация, что Соня попросту не знала в лицо родителей своей настоящей Наташи Вьюгиной и явилась по моему московскому адресу по ошибке? Спросила обо мне — о Наташе, а моих родителей хлебом не корми — дай поговорить о пропавшей дочери.

И как тогда будут развиваться дальнейшие события? Как поведет себя Соня? Извинится, что побеспокоила меня, или наоборот, станет возмущаться той ситуацией, в которую я загнала нас обеих?

Пусть эта экскурсия состоится. Я какое-то время побуду рядом с Соней, может, пойму, что она за человек и как надо себя с ней вести.

В машине она долгое время молчала, хмуря лоб. Вероятно, что-то обдумывала. А потом, словно очнувшись, начала рассказывать:

— Вообще-то я плохой экскурсовод, но кое-что знаю об этом замке, точнее, дворце. Это очень красивый дворец, с чудесным садом с каскадами, с потрясающими павильонами, среди которых имеется известный замок Амалиенбург. Шедевр южнонемецкого рококо, Нимфенбург был летней резиденцией баварских королей, строили его в течение двух веков. Один из курфюрстов, Фердинанд-Мария, был женат на итальянской принцессе Аделаиде, и так случилось, что их первым ребенком была девочка. Конечно, они ждали мальчика. В королевских семьях это — очень важный вопрос. Так вот, они так долго ждали наследника, что, когда все-таки он появился на свет, папаша чуть с ума не сошел от радости. Понятное дело, он забросал жену подарками, среди которых был огромный участок земли, где Аделаида, собрав своих любимых итальянских архитекторов, начала строительство этого комплекса. Работы велись постоянно и очень долго, строилось все больше и больше павильонов, зданий, разбивались парки и сады. И все это, как я уже говорила, растянулось на двести лет. Аделаида умерла, строительство продолжалось ее сыном, а потом и внуком. Протяженность фасада составила почти семьсот метров! Я бы не отказалась жить в таком дворце, а ты?

Я вспомнила свой крохотный низкий домик, крытый красной черепицей, Тайсона, и сердце мое сжалось.

15.
Село Страхилица (Болгария), октябрь 2008 г.

Дождь поливал всю ночь с такой силой, что, казалось, маленький дом не выдержит и растворится в воде, как таблетка аспирина.

Сначала Лена попыталась уснуть. Она лежала то на спине, устремив взгляд в балки низкого выбеленного потолка, то на боку, разглядывая окно, вспыхивающее электрическими фиолетовыми и белыми вспышками молний, или крепкий темный затылок мужа. Костя спал, он — мужчина, и у него все по-другому, вот и это вынужденное проживание в Страхилице он воспринял совершенно иначе, чем Лена. Вместо того, чтобы паниковать вместе с ней и рыдать о дочери, он принялся ремонтировать курятник, поправил крышу дома, забор, вычистил и привел в порядок подвал, по-хозяйски рассудив, что здесь можно держать не две, а гораздо больше коз. «Знаешь, это очень экономичные животные, за ними мало приходится убирать, да и в стаде они с утра до вечера. А молоко козье здесь дорогое, я интересовался».

— Костя, ты что, собираешься здесь жить?!

— А почему бы и нет? Жить, Лена, можно везде. И я горд за свою дочь, что она не превратилась ни в наркоманку, ни в пьяницу, не пошла по рукам (а здесь это легко сделать, тем более, страна-то курортная, у моря полно отелей), а купила дом, обзавелась хозяйством. На это не каждая московская девчонка способна.

Не выдержав, она растолкала мужа:

— Костя, проснись, прошу тебя, поговорить надо.

— Да я и не сплю, — услышала она неожиданно. — Такая гроза. Того и гляди, дом рухнет.

Он повернулся к ней лицом, притянул жену к себе, обнял ее.

— Я хотела тебе сказать, — зашептала она, словно боясь разбудить кого-то невидимого. — Хотела сказать, что мы с тобой Наташу совсем не знали. Родили ее, воспитывали, жили с ней под одной крышей, а что мы о ней знаем?

— Ну, например, я знаю, что она была непокорным ребенком, своенравным. Потом она была трудным подростком, очень одиноким. Еще, она не уверена в себе, считает, что она дурнушка, хотя на самом деле она просто красавица! Еще никак не может определиться в жизни, не знает, чего она хочет. Ведь этот мотоцикл, который мы ей купили, не связал ее с компанией местных байкеров, нет! Она совсем другая. И мотоцикл ей всегда был нужен просто как средство перемещения в пространстве, для ощущения свободы. Я думаю, она никогда не была свободна внутренне и пыталась компенсировать это свободой внешней. Да только куда денешься от себя самой? Никакой мотоцикл, никакая скорость тут не спасут.

— Но почему же она выросла не такой, как все?! Почему ей никогда не хотелось замуж? Детей?

— Я думаю, эти мысли возникли бы у нее, если бы она полюбила кого-нибудь. Но разве мы могли предположить, что это чувство ее посетит настолько несвоевременно? Я хочу сказать, что она влюбится в какого-то цыгана, по переписке. Да уж лучше бы влюбилась в мужчину постарше себя, пусть даже он жил бы в Африке! А так... Тони! Что мы знаем об том Тони?

— Она любила Тони. И, судя по тому, что здесь она прожила долгое время одна, Тони либо нет в живых, либо они расстались. И то, и другое — вполне реально, поскольку семейка у этого Тони была еще та.

— Вот я и спрашиваю: ну почему нашу девочку угораздило влюбиться в цыгана?

— Не думаю, что она знала, что он — цыган. Просто познакомилась по Интернету с парнем, он мало-мальски владел русским языком, обратил внимание на нее, нашел такие слова, быть может, каких никто никогда не говорил ей. Словом, влюбил ее в себя, но я не исключаю того, что и она влюбилась в него. Понимаешь, какое дело, Леночка? Дочь наша — натура романтичная, вскормленная на волшебных сказках, английских романах и балладах, на той литературе, которая прививает утонченным личностям тягу ко всему необычному, экзотическому. Такие, как Наташа, способны, несмотря на всю свою внешнюю кротость, к самым неординарным, решительным поступкам. Понятия благополучия, комфортности, финансовой состоятельности присущи были всем ее одноклассницам, подружкам. Возможно, мы всему виной. Но я уверен: ни одна из них не побежала бы за таким, как Тони, в Болгарию, в неизвестность.

— Ты хочешь убедить меня в том, что мы с тобой воспитали авантюристку?!

Лена встала и хотела включить свет, но он не зажегся.

— Тока нет, представляешь? Видимо, это из-за грозы. Подожди, я где-то на столике видела подсвечник с красной свечой. И спички. Господи, Костя, надо же, какая романтика — свечи, гроза, старинный домик, похожий на этнографический музей! Вот только меня это нисколько не радует.

Она встала, набросила на плечи кофту, зажгла свечу, и маленькая комнатка сразу же преобразилась: в ней заиграли беспокойные оранжевые блики, и появились в углах таинственные длинные тени.

— Знаешь, Костя, что я подумала? Мы — страшные эгоисты, мы никогда не давали себе труда получше узнать Наташу. Мы, хоть и имели ребенка, но жили как бы для себя. К сожалению, я поняла это только сейчас. Вот представь себе. Мы всегда были вдвоем, вместе. А она была совсем одна. Особенно со мной она ничем не делилась. А потом с ней случилось то, что происходит со всеми девушками в ее возрасте. Она влюбилась! Я помню себя, когда я влюбилась в тебя. Для меня тогда никого другого не существовало! Я же голову потеряла! Как Наташа со своим Тони. А мы не поддержали ее, мы заранее были настроены против ее отношений с ним.

— А что, разве мы ошибались? — Константин в пижаме вышел из комнаты в кладовку, чтобы принести дров и подбросить их в печку. И закричал уже оттуда: — Мы же с тобой чувствовали, что эта связь ни к чему хорошему не приведет!

— Да, но она-то этого не понимала!

— Она не хотела понимать.

— Все равно: ее как раз понять можно. И вот теперь представь: что же с ней случилось?

Он принес охапку дров, положил их на пол, на железный лист, открыл дверцу печки, где розовели тлеющие угли, и положил туда два узких полена.

— С одной стороны — она любила Тони, с другой — она ведь попала в руки преступников. Мы вообще могли потерять ее! Если бы не Тони, она бы, возможно, сбежала уже давно, поняв, к примеру, что она ошиблась и не любит его. А так... Она продолжала жить в этой семье, постоянно подвергая опасности себя, свое здоровье, да что там — свою жизнь!

— Костя, ты помнишь, как она выглядела? Кожа, кости, волос на голове почти не было. Да от нашей Наташи вообще мало что осталось! Нам бы взять ее в охапку — и домой.

— У нас, собственно говоря, и были такие планы. Но это я виноват. Я намекнул ей, вероятно, одним своим видом, что мне жалко денег, которые мы ей отправили.

— Но и тебя можно тоже понять, деньги-то немаленькие.

— Лена. Бог с ними, с деньгами! Зато теперь у нас — ни денег, ни дочери. И она снова в странствиях, оставила свое хозяйство, коз, кур, собаку.

— Ну, раз оставила и не продала, значит, вернется, я так думаю. Послушай, какое тепло идет от этой печки! В наших квартирах тоже, конечно, тепло, но это тепло — особенное, жаркое, уютное. Я понимаю этих крестьян.

— Думаю, никто из них не отказался бы от центрального отопления, но оно им и не снилось. Да и вообще, эта деревня — какая-то первобытная. Люди здесь одеваются, как сто или двести лет тому назад. Думаю, здесь ничего не изменилось. Люди живут натуральным хозяйством, пасут овец, коз и коров, выращивают пшеницу и ячмень. Господи, ну и угораздило же нашу дочь поселиться в этом Богом забытом селе!

Так, переговариваясь, они вновь улеглись в постель, укрылись тяжелым, набитым овечьей шерстью одеялом, обнялись и, убаюканные теплом, потрескиваньем поленьев в печке, шумом дождя за окном и собственными разговорами, уснули.

16.

Мюнхен, октябрь 2008 г.

После экскурсии Соня повела себя, как настоящая истеричка. Даже машину она вела рывками, обгоняла всех рискованно, можно сказать, похамски, подрезала добропорядочных немцев, ставя их в опасное положение. Словно куда-то спешила.

Впечатление от экскурсии у меня тоже осталось неприятное, и все — из-за Сони. Чувствовалось, что ей не до дворца, не до той красоты, которой можно было насладиться, воспользовавшись случаем. Получалось, что я словно бы навязалась ей и что именно я виновата в ее дурном расположении духа, в той гримасе брезгливости, которую она даже и не пыталась скрыть.

— Послушай, Соня, может, мне уехать? Я чувствую, что начинаю раздражать тебя, — сказала я ей в машине. Мне уже было все равно, кого и зачем сюда пригласили, какая роль отводилась той, за кого меня все-таки приняли. — Или, может...

— Послушай, — перебила она меня, — у каждого человека могут быть какие-то свои, личные проблемы. И мое плохое настроение не имеет ничего общего с твоим присутствием в моем доме и с нашей экскурсией. Извини, если я не сдерживаюсь и веду себя так. Но я же не зря пригласила тебя. У меня нервы на пределе!

Тут она резко повернула, затем еще раз, и мы помчались по аллее, прямиком к дому. У ворот она притормозила, подождала, пока они откроются, и мы — уже медленно — покатили к парадному крыльцу дома.

Роза поджидала нас, утомленных экскурсией и друг другом, с готовым ужином. Вид у нее был такой, какой бывает у человека, желающего демонстративно заявить всем: я тут ни при чем! Сплошной нейтралитет. Держалась она со мною подчеркнуто вежливо, проводила до моей комнаты, положила на кровать чистые полотенца.

И тут мы услышали грохот. Сильнейший. Словно где-то внизу на плиточный пол упал буфет.

Мы с Розой бросились вниз и застали Соню, сидевшую на полу, с порезанными окровавленными руками, всю в осколках. На нее действительно упала кухонная полка! Но не большая, от кухонного гарнитура, а декоративная, стилизованная под старину, коричневая, резная, на ней еще недавно стояли в ряд десертные тарелки...

— Вот! Вот!!! Я же говорила тебе, что все это подстроено!!! Что кто-то вынул гвоздь или что-нибудь еще, чтобы эта полка грохнулась именно на меня!!!

— Соня! — Я бросилась вперед, чтобы помочь ей подняться. — Господи, да ты же могла разбиться! Один удар такой полки по голове...

На лбу ее тоже имелся порез, и кровь каплями сочилась, пачкая бровь. С одной стороны, мне было, конечно, жаль ее, но с другой — смех так и разбирал меня. Я ждала, когда Соня скажет что-нибудь про макет дома, про те осколки, которые она обнаружила там утром. И я услышала.

— Это они, — вполне серьезно, хотя и тоном шизофренички произнесла Соня, поднимаясь с пола. Под подошвами ее домашних туфель захрустел битый фарфор.

— Кто — «они»?

— Да те, кому поручено свести меня с ума! Ты же сама видела эти осколки внутри макета.

Я смотрела на нее и уже не знала, плакать мне или смеяться. Ведь то, что Соня сама уронила на себя полку, — было ясно. Думаю, и Роза тоже о чем-то догадывалась. Мне вся эта комедия уже начинала действовать на нервы. Я была склонна предположить, что нахожусь в гостях у психически нездоровой женщины. И что меня здесь ждет? И какая полка свалится мне на голову?

— Ты уж извини меня, Соня, но есть мне что-то перехотелось.

Я подошла к раковине, отмыла руки от крови, в которой выпачкалась, помогая ей подняться, и решительным шагом направилась к выходу.

— Постой! Ты куда?!

— Пройдусь немного, — холодноватым тоном ответила я, даже не оглядываясь, чтобы не наговорить лишнего. — А что, нельзя?

Мне ничего не ответили. Я сначала поднялась к себе, взяла теплый свитер, поскольку вечер обещал быть холодным и ветреным, спустилась и, даже не заглядывая в кухню, где Роза продолжала хлопотать вокруг своей хозяйки, бросилась вон из дома.

Я почти добежала до ворот, к счастью, калитка оказалась незапертой (думаю, Роза позаботилась о том, чтобы она открылась). По аллее я пошла уже обычным шагом, вдыхая свежий запах недавно прошедшего дождя, мокрой земли и разбухших от влаги голых деревьев. Я понятия не имела, куда собралась. Главное — подальше от этого дома, от Сони! Мне надо было немного побыть одной.

Буквально через дорогу начиналась нарядная, застроенная аккуратными разноцветными особняками улица, заканчивавшаяся ратушей. Все первые этажи этих домов занимали магазины с ярко освещенными витринами, кафе, ресторанами, закусочными. Сквозь прозрачные стекла можно было разглядеть сидевших за столиками посетителей. Я шла медленно, рассматривая, словно рыб в аквариуме, людей за окнами и думала о том, что у каждого из них есть свой дом, семья, работа и, главное, они прочно занимают определенную социальную нишу. Я же была вырвана из моей прежней жизни с корнем, и теперь мой домик в маленькой болгарской деревушке был мне куда роднее московской квартиры. Но он был далеко, я же в очередной раз оказалась втянута в какую-то авантюру. Вернее, я сама позволила судьбе втянуть себя туда.

Голод дал все-таки о себе знать. Я набралась храбрости и, понимая, что с моим русским и отвратительным английским мои слова вряд ли кто-то разберет, все равно зашла в один из небольших ресторанчиков.

Оказалось, что почти все столики заняты. Я обратила внимание: посетители ресторана ужинали компаниями, редко кто сидел за крохотным столиком возле узких витражных окон в полном одиночестве.

Заняв место у окна, я приготовилась к тому, что ко мне подойдет официантка с блокнотом и мне придется объяснять ей на пальцах, что бы я хотела заказать. Быть может, поэтому я приняла решение заказать то, что было на тарелке у мужчины, сидевшего неподалеку от меня, тоже в одиночестве. Перед ним стояла прозрачная высокая кружка с пивом, а на тарелке имелись остатки рыжей капусты и белой колбасы. Казалось, он ест самую вкусную еду в мире — так густо и сытно пахло в ресторане, да и я была страшно голодна.

Но когда подошла официантка (в длинном зеленом фартуке, под которым были видны джинсы и тонкий светлый свитер), я не посмела смотреть на тарелку своего соседа. На столик положили меню, и я принялась его листать. Конечно, я ничего не поняла, да и снимков блюд в меню не наблюдалось, как это было в болгарских заведениях.

Официантка отошла, я повернулась в сторону моего соседа, ткнула пальцем сначала на его тарелку, потом в свое меню и пожала плечами. Я понимала, что веду себя излишне вольно и даже неприлично. Но мне не хотелось бы, чтобы вместо благоухающей тушеной капусты мне принесли копченого угря или блины.

— Я не понимаю, — сказала я и состроила страдальческую мину. — Так есть хочется!

— Вот. — Мужчина открыл меню на нужной странице и показал на блюда под номерами один и два. Длинные, ни на что не похожие названия. — Капуста с белой колбасой Sauerkraut и Weisswurst.

И тут до меня дошло, что некоторые слова он произносит по-русски, правда, с сильным акцентом.

— Вы что, знаете русский?!

— Немного, — ответил мой сосед, и мне удалось теперь разглядеть не только его тарелку, но и его самого. Лет тридцати, худощавый брюнет, в черной курточке, надетой на серый вязаный свитер, в джинсах. Лицо — бледное, вытянутое, спокойное. Длинные белые пальцы вертят салфетку. — Если хотите, пересаживайтесь за мой столик, и я подскажу вам, что лучше выбрать.

Жизнь улыбнулась мне, когда я, пересев за соседний столик, сразу же получила огромную порцию тушеной капусты с колбасой. Честно говоря, мне было все равно, что подумает обо мне этот немецкий господин в черной курточке, с интересом разглядывавший меня и улыбавшийся моему зверскому аппетиту.

Через полчаса мы уже весело болтали о том, о сем, пили пиво, грызли орешки. Мужчину звали Германом. Он жил поблизости от этого ресторана и отлично знал дом, где гостила Наташа.

— Это очень красивый большой дом. Принадлежал он прежде женщине по имени Клементина. И, что самое удивительное, эта женщина, когда была еще совсем молоденькой девушкой, жила и работала служанкой в доме моего отца!

— Надо же, сначала служанка, а потом — хозяйка такого огромного дома! И как же это все вышло?

Но ответа на свой вопрос я так и не получила — Герману кто-то позвонил, он сказал, что очень извиняется, но ему нужно идти. Он, как галантный кавалер, поцеловал мне руку на прощанье и исчез, растворился в глубине ресторана.

Я сидела, сытая, сонная, и думала о том, что и в Германии есть, оказывается, мошенники вроде этого Германа, которые едят и пьют в ресторанах за счет женщин — я была уверена, что мне придется расплачиваться и за его ужин и выпивку. Но я не переживала, ведь у меня были деньги, и немалые. От тех пяти тысяч, что прислала мне Соня, осталось еще довольно много. Можно было позвонить водителю фуры Николаю и договориться с ним, чтобы он забрал меня отсюда и привез обратно в Болгарию. Я бы купила еще коз, кур, подремонтировала бы дом или купила бы подержанную машину, научилась бы водить.

Я вздохнула и допила пиво. Как я могу покупать машину, если у меня полная неразбериха с документами? Это просто чудо, что мне удалось купить дом. Возможно, тогда еще действовала моя виза, или нотариус оказался невнимательным.

Возвращаться в Москву? Стоп. Какая Москва, если мои родители сейчас в Страхилице?! Эх, жаль, я не попросила этого прохиндея Германа позвонить Нуртен, может, она бы пригласила их к телефону, и я объяснила бы им ситуацию.

Но, представив себе, как отреагировали бы они на мою, попахивающую авантюрой поездку в

Мюнхен, я передумала связываться с ними. Я уж как-нибудь сама выкручусь. Может, даже наберусь наглости и попрошу Соню помочь мне с документами. Если у нее есть деньги и она нуждается во мне, может, она сделает это?

Сытая, сонная и размякшая, я не хотела выходить из ресторана. Сидела долго, рассматривая все вокруг и делая выводы. Да, мне тоже хотелось спокойной ровной жизни, где все предсказуемо и размеренно. Я хочу иметь семью, детей. Но главное — хорошего и надежного (не такого, как Тони) мужа! Быть может, мои родители были правы, когда пытались объяснить мне всю нелепость этой связи с цыганом? Что бы меня ждало с ним? И что хорошего, кроме его жарких объятий, я получила в результате своего переезда в Болгарию? Хорошо еще, что осталась жива.

Пора было уходить. За окном лил дождь, а зонта у меня, разумеется, не было. Но я никогда не боялась дождя. После него всегда можно переодеться, согреться в горячей ванне.

Я знаком подозвала официантку, эдакую Гретхен современного типа. Спросила, пощелкав пальцами, сколько я должна за ужин, на что мне вежливо объяснили, что тот господин, с которым я сидела здесь, расплатился кредитной картой. Мне стало стыдно за то, как я подумала о Германе, и одновременно приятно, что хотя бы кто-то обо мне позаботился. К тому же под салфеткой я обнаружила визитку, из которой ничего абсолютно не поняла, разве что узнала его полное имя: Gernam Kifer...

И тут я увидела Соню. То, что она искала глазами именно меня, было ясно. И — нашла. С виноватым видом она подошла ко мне, обняла и поцеловала. От нее веяло дождем и раскаянием.

— Прости. Не знаю, что на меня нашло! Пойдем домой. Я заплачу за твой ужин.

— Нет-нет, я уже расплатилась, — поспешила я успокоить ее, не желая рассказывать о своем новом знакомстве. — Все нормально. И ресторан хороший. Мне понравилось.

— Вот и отлично, мы можем ходить сюда хоть каждый вечер. Только, прошу тебя, больше не делай так, не исчезай. Я ищу тебя уже два часа. По всем кофейням и, между прочим, барам. Я же отвечаю за тебя, Ната!

— Я не маленькая девочка и сама за себя отвечаю. Ты лучше скажи: зачем ты меня пригласила? Чтобы мы ловили воров в твоем доме? Тебе не кажется, что я, хрупкая, слабая девушка, не очень-то подхожу на эту роль?

Хорошее крепкое пиво явно ударило мне в голову.

— Тс. Не кричи. Ты привлекаешь к себе внимание окружающих, мне это не нужно.

— А что тебе нужно? — вкрадчивым противным голосом спросила я, неожиданно почувствовав некую власть над этой таинственной и очень странной Соней.

— Мне нужно, чтобы рядом со мной был близкий человек, которому я могла бы довериться. Понимаешь, в последние годы я живу словно в изоляции, все кажутся мне чужими. Все покупается и продается.

— Все, как всегда, во все времена, — заметила я, грубо прервав ее тираду. — Подлецы и предатели существовали всегда, разве не так?

Мы уже вышли из ресторана, перешли через улицу, и тут я увидела машину Сони. Понятное дело, пока мы бежали по улице, свой большой голубой зонт она держала над моей головой. И мне тогда подумалось почему-то, что я действительно очень нужна этой Соне и что ее волнение, связанное с моим исчезновением, вполне искреннее.

И все равно, это не помешало мне, улучив момент, поздно вечером забраться на чердак и поджечь злосчастный макет.

17.

Мюнхен, октябрь 2008 г.

Распорядившись насчет завтрашнего меню («Оно должно быть чисто вегетарианским, Роза. Пожалуйста: консервированная кукуруза, горошек, шпинат, морковка. Ты умеешь готовить хорошие овощные рагу, я знаю».), она пошла в свою комнату, села у окна и стала смотреть на дождь.

«После дождя земля будет вязкой, из нее лопату будет невозможно выдернуть».

Потом она взяла в руки мятую газетную вырезку, прочла еще раз текст...

«Прокуратура Берлина выдала ордер на арест медсестры клиники «Шарите», подозреваемой в убийстве нескольких пациентов. Об этом в прямом эфире новостного телеканала «Двадцать четыре» сообщил официальный представитель берлинской прокуратуры Михаэль Грунвальд. Он рассказал, что, согласно данным предварительного расследования, медсестра отделения интенсивной терапии кардиологического блока убила как минимум двух тяжелобольных пациентов.

По словам сотрудника прокуратуры, задержанная созналась на допросе в том, что в середине августа и в начале октября она ввела повышенную дозу сильнодействующего препарата двум больным семидесяти семи и шестидесяти двух лет. Мотивы убийств пока что не ясны, и в настоящее время прокуратура определяется с двумя вариантами обвинения, которое будет предъявлено женщине: убийство по неосторожности или преднамеренное убийство.

Подозреваемая попала в поле зрения полиции после того, как один из сотрудников клиники обратил внимание на частые смерти больных, которые происходили во время ее дежурств. Он сообщил о своих подозрениях главврачу, который, в свою очередь, известил полицейских.

В настоящее время судмедэксперты проводят вскрытие тела последнего скончавшегося пациента и еще одного больного, также умершего в период дежурства подозреваемой. «К сожалению, тело умершего в середине августа больного — в передозировке лекарства этому пациенту медсестра призналась, — исследовать не удастся, так как оно было кремировано», — отметил Грунвальд.

Как сообщают местные СМИ, есть подозрения в причастности задержанной медсестры к смерти пяти пациентов больницы...»

Ей все еще не верилось в то, что произошло каких-нибудь полчаса тому назад. Но она сделала это. Сделала! Если какая-то женщина смогла хладнокровно ограбить несколько банков, а медсестра клиники «Шарите» смогла убить пациентов, да и сам Уве оказался довольно-таки решительным парнем, то почему она, Софи Бехер, не может избавиться от опасного свидетеля? У нее был план, и она пункт за пунктом претворяет его в жизнь. Только так она сможет обрести долгожданное спокойствие и утолить свою жажду мести. Восстановить справедливость, наконец!!!

С одной стороны, она была горда тем, что решилась на такое, с другой — очень нервничала, представляя себе предстоящий разговор с этой русской дурой Наташей.

Под вопросом была и Роза. Уволить ее сейчас — это было бы величайшей глупостью. Пусть внешне все остается по-прежнему. И если Роза не ослушается ее и не заглянет в холодильную камеру — останется жива. В сущности, ее жизнь зависит теперь только от нее самой. Окажется исполнительной служанкой-кухаркой и приготовит морковку с горошком — выживет. Если же ей вздумается приготовить баранину или гусятину — она пожалеет об этом. Если, конечно, успеет.

Соня подошла к зеркалу и посмотрела на свое отражение. Да, так и есть — она заметно похудела за последнюю неделю. Сплошные нервы, нервы. Но ее расчет оказался правильным — эта Вьюгина приехала. Видно, сильно поприжало ее там, в Болгарии, раз она пошла на эту авантюру. И ведь не побоялась, пренебрегла визой и примчалась в Мюнхен в фуре, как добираются до Европы проститутки! Хотя что она знает об этой Наташе помимо того, что она — авантюристка, мошенница, лживая тварь? И ведь Вьюгина старательно делает вид, что знает ее, Соню, что они действительно были подругами. Хотя, а что ей еще остается делать, если она уже на чужой территории и, по сути, в ее, Сониных, руках?

Темная лошадка! Это Соня поняла, едва взглянув на нее. История, рассказанная ее родителями о любви Наташи к Тони — яркое тому подтверждение. Тихая, скромная девчонка, переполненная комплексами, бросается в объятия первого же интернетного встречного. Что может быть пошлее, глупее? Вот и сейчас — снова авантюра. Приехала в другую страну, к совершенно незнакомому человеку в гости и разыгрывает из себя подругу Сининого детства. Чем полна ее голова?

Хотя надо отдать ей, конечно, должное. Ведь этой Наташе, при ее-то сумасбродном характере, ничего не стоило забрать присланные ей пять тысяч евро и исчезнуть из Болгарии. Переехать в другую страну, пуститься навстречу новым приключениям или же вернуться в Москву. Однако она этого не сделала, а приехала именно в Мюнхен. Почему? Загадка!

Конечно, можно предположить самое худшее — она все знает. И что тогда? Тогда их совместное пребывание в этом доме станет своеобразным поединком: кто кого перехитрит, переобманет. Но почему же тогда Наташа до сих пор не открыла своих карт? Не объяснилась?

Но, скорее всего, она приехала сюда и до сих пор не перестает притворяться близкой подругой по другой причине: она хочет с ее, Сониной, помощью зацепиться за Германию, попытаться устроиться здесь, пустить корни. Пожалуй, это было бы самым правильным объяснением ее приезда. И ей нет никакого дела до того, что происходит в доме, что творится на этом чертовом чердаке. Возможно, даже она понимает, что все это — лишь спектакль, которому она пока что не может дать объяснения.

Теперь — осколки чашки. Каким образом они оказались в макете? Кто их туда подложил? Только тот, кто все понял, кто начал эту историю и теперь подыгрывает ей. И кто же этот человек: Роза или Наташа? Роза — нет. Она очень осторожный человек и дорожит своим местом. Где еще она найдет такой богатый дом и хорошее жалованье? Да и работа не пыльная. Хотя как сказать. Ведь она одна управляется с хозяйством: она и убирает, и готовит, и следит за порядком. Для женщины ее возраста можно было бы уже подумать и о пенсии, о покое. А если так, можно предположить, что Роза все же решила уйти. И что ей тогда мешает перед уходом дать понять странной хозяйке, что она все видит и слышит, что она давно поняла, кто играет в куклы на чердаке? Пусть даже Роза все знает, она все равно не опасна. Уйдет — и все забудет. Разве что в ней взыграют гражданские чувства, и она, когда полиция узнает об исчезновении садовника, заявит в полицию.

Соня вдруг с горечью поняла, что ей, вероятно, при всем ее старании так и не удастся сыграть перед Наташей роль заблудившейся в жизни одинокой женщины, которую кто-то там хочет свести с ума. Что ни ее внешние данные, ни поведение, ни тон голоса не подходят для такой роли. И сегодняшний день лишний раз доказал это. Она не сдержалась и вместо того, чтобы проявить обыкновенное, естественное для данной ситуации гостеприимство и сопроводить Наташу в Нимфенбург, испортила экскурсию. Продемонстрировала свое раздражение, нервозность и негативное отношение к Наташе. И в результате Вьюгина ушла из дома. И правильно сделала! Любой другой человек, имеющий в кармане пару тысяч евро, не стал бы терпеть такого неуважительного к себе отношения и поступил бы точно так же. И это просто чудо, что Соня так быстро Наташу разыскала. Извинилась. Поняла: еще одна подобная ошибка, и Наташа, эта кошка, которая бродит сама по себе, уйдет. Мир — большой, и кто помешает ей отправиться в очередное путешествие? Быть может, ей повезет, она встретит хорошего парня, выйдет за него замуж, получит вид на жительство в какой-нибудь европейской стране... на что Наташе она, Соня? А потому надо действовать как можно быстрее. И сделать все для того, чтобы привязать эту кошку к себе чугунными цепями. Чтобы она не ушла, не исчезла...

...В комнате запахло дымом. Это был запах жженой бумаги. Только этого еще не хватало!

Соня выбежала из своей комнаты. В коридоре было нечем дышать от дыма. Сверху доносились крики Розы и Наташи. Сначала у нее возникла мысль — вызвать пожарных, но потом она передумала. Нет, для начала надо посмотреть, насколько серьезна ситуация...

Она поднялась на чердак, откуда валил дым, и увидела, как Наташа с Розой тушат своими кофтами загоревшийся угол макета, как раз с той стороны, где находится «спальня» Наташи.

— Не переживай! — услышала она голос Наташи. — Соня, все в порядке. Мы все потушили.

Соня подбежала к Розе и заглянула ей в лицо.

— Роза, что случилось? — спросила она резко по-немецки, чувствуя, что ситуация выходит из-под ее контроля.

— Мы пили чай в кухне, когда почувствовали, что пахнет дымом, — взволнованно ответила Роза. — Быстро поднялись и увидели, что тлеет угол макета. Мы испугались. Огня нет, но дым!!! Весь дом — в дыму!

— А как это случилось? Кто-нибудь из вас поднимался на чердак? Может, ты, Наташа, — она повернулась к перепачканной сажей гостье, — курила здесь, на чердаке, и забыла погасить сигарету?

— Не стану отрицать — вообще-то я покуриваю. Но сегодня я не курила. И, тем более, здесь, на чердаке. Соня, мне все это, честно говоря, стало надоедать! Все те странности, что случаются в вашем доме, происходили и до моего приезда. И если ты пригласила меня для того, чтобы повесить на меня поджог...

— Тихо-тихо-тихо. Извини. Я погорячилась. Просто я испугалась. Но, с другой стороны, кто-то же поджег макет? И если это не вы и не я, то кто?

Значит, в доме кто-то был или есть, прячется здесь. А я боюсь, вы слышите, я боюсь!!! — Она перешла на отчаянный крик по-русски. — Я скоро действительно сойду с ума!

Она кричала и думала о том, что кто-то из них, из этих двух женщин, которых она приютила под своей крышей, издевается над ней. Роза? В который уже раз спрашивала она себя об этом, вспоминая горсть осколков в макете. Да, потом она, Соня, сама специально уронила посудную полку, чтобы оправдать появление внутри макета осколков. А что еще ей оставалось делать? Ведь игру-то затеяла она! Придумала этих дурацких кукол. И ведь идея эта изначально должна была быть абсурдной — именно этим обстоятельством она должна была объяснить русской гостье свое нежелание обращаться за помощью в полицию. Ведь если бы в этом доме на самом деле происходили какие-то невероятные вещи (а не придуманные самой Соней), разве она не обратилась бы в полицию? Да она бы поставила на уши все полицейское управление Мюнхена!

Ладно. Пожар потушили. Вернее, то, что она приняла за пожар. Сейчас они распахнут все окна, и дым сквозняком выветрится. Но как же не вовремя все это произошло! Да и макет слегка повредился. Хотя «парадное крыльцо» — цело и невредимо. И именно там завтра рано утром они с Наташей обнаружат «труп садовника».

18.

Мюнхен, октябрь 2008 г.

Мне не спалось в ту ночь. И я решила, что в сложившейся ситуации мне непременно надо проявить инициативу. Не такую, конечно, как с поджогом макета (это был протест против навязанной мне Соней игры), а ту, которая дала бы Соне возможность надеяться на меня и не сожалеть о том, что она вызвала меня к себе в помощь.

И я ровно в полночь постучала в ее спальню.

Соня отозвалась не сразу. Спросила что-то понемецки встревоженным голосом. Это и понятно. Ночной стук в дверь — что может быть неприятнее и тревожнее?

— Соня, это я. Извини, что потревожила. Просто я подумала...

— Минуту.

Дверь открылась, и я увидела бледную, с покрасневшими глазами, Соню. Судя по ее виду, она не спала, скорее всего, мучилась бессонницей.

— Ты не спала? Все переживаешь. Послушай, у меня есть идея, — начала я бодрым голосом, чтобы мое решительное и довольно-таки ироничное настроение передалось моей неожиданной подруге.

— Входи, — сказала она со вздохом. — Да, действительно, я не спала...

Она предложила сесть мне в кресло, достала из бара несколько красивых бутылок.

— Что хочешь?

И я только тогда почувствовала, что от нее слегка попахивает спиртным. Видимо, она уже успела приложиться к одной из бутылок.

— Ничего. Я вообще не пью. Курить — покуриваю, но не пью.

— А я выпью. Вы-то с Розой — как бы ни при чем, и все те странности, что происходят у меня в доме, касаются только меня. Вот поэтому я и переживаю больше всех! Но я не оправдываюсь, нет. Просто такая тоска на душе. Думаю: а вдруг меня кто-то хочет убить?

— Вот поэтому-то я к тебе и пришла. В прошлый раз мы с тобой действовали довольно-таки наивно — устроили засаду на чердаке. Надо действовать по-другому! Дежурить, к примеру, в саду, ты с одной стороны дома, а я — с другой. Оденемся потеплее, одна из нас спрячется в садовом домике, а вторая — в машине перед крыльцом. Понимаешь, тот, кто все это делает, кто хочет напугать тебя, не живет в этом доме, это точно. Иначе мы бы этого человека все равно заметили, почувствовали, услышали бы его, наконец. Кто бы он ни был, это живое существо, оно хочет пить и есть и еще, извини, ходить в туалет. Вот я и подумала: если это не Роза, значит, этот кто-то должен появляться в доме извне. То есть, возможно, в дом ведет какой-то тайный ход, о котором мы пока не знаем.

— Но я же осматривала дом! — воскликнула Соня, отпила большой глоток водки и вытерла рукавом пижамной куртки рот. — В дом ведут только две двери — с парадного хода, понимаешь, и с черного, он для слуг, для машин с провизией. Через черный ход выносится мусор, и Роза ходит через эту дверь в хозяйственную пристройку с прачечной и кладовыми. Выносит в сад белье и развешивает его сушиться. Все! Больше дверей нет, и никаких отверстий и тайных ходов или нор.

— Я понимаю твою нервозность и даже готова не замечать ее. Но все равно, должна тебе заметить, что ты осматривала дом лишь в нижней его части. Но здесь же полно слуховых окон, простых окон, наконец тех, которые, может быть, не до конца закрываются. Или же, как ты сама понимаешь, в дом может вести подземный ход...

— Ну да! Мне только этого еще не хватало — искать подземный ход. И куда же он может вести?

— Да куда угодно! В кухню, в любую комнату, в камин.

— Знаешь, ты вместо того, чтобы успокоить меня, наводишь на меня смертную тоску и еще больший страх.

— Сначала мы понаблюдаем за домом снаружи. Подежурим... ты как, согласна?

— Согласна, — буркнула она и налила себе еще водки, плеснула туда зеленого мятного ликера. Выпила. — Ты все правильно говоришь. Подожди. Как я сказала: согласна? Нет, я категорически не согласна! Во-первых, ночью в этом садовом домике или в машине меня могут просто убить. Во-вторых, цель преступника (назовем его так) —

чердак! Значит, мы делали все правильно, когда дежурили на чердаке. Хотя, возможно, надо было покараулить его на лестнице.

— Подожди, — я так увлеклась, что и сама начала уже верить в то, что куклы на чердаке появляются не по воле хозяйки, — подожди! Черный ход может вести как раз на чердак! Может, на чердаке существуют двойные стены? И параллельно обыкновенной лестнице, ведущей на чердак, может существовать еще и тайная, очень узкая, спрятанная за стеной. А вход на чердак может быть замаскирован каким-нибудь деревянным шкафом.

— Это все, что ты хочешь мне сказать?

— А что? Разве я не права? По-моему, мы должны действовать, а не только охать и ахать. К тому же, я тоже хочу почувствовать себя полезной. Ты потратила так много денег на мой приезд, это свидетельствует о том, что ты по-настоящему встревожена, и мне действительно хочется помочь тебе. Реально. Ну, что будем делать?

— Мысль о том, что подземный ход ведет прямо на чердак, мне понравилась больше всего. Предлагаю подняться туда и осмотреть его хорошенько, — Соня икнула, и я подумала: не любительница ли она закладывать за воротник?

— Сначала заглянем в комнату к Розе, — предложила Соня совершенно неожиданно, когда мы проходили по коридору мимо комнаты служанки. — Чтобы убедиться, что она спит.

— Значит, ты все-таки подозреваешь ее?

— Знаешь, когда в доме происходят такие вещи, всякое в голову лезет.

— Да, кстати, — я продолжала развивать эту тему шепотом, поскольку мы уже подошли к двери, ведущей в комнату Розы. — А как так могло случиться, что полка с посудой упала на тебя? Может, ты сама ее задела или как?

— Интересное дело! — возмущенно прошептала Соня. — Столько времени я ее не задевала, а именно в тот день, когда внутри макета мы обнаружили осколки стекла, она на меня упала? Да ясно же, что кто-то либо вынул гвоздь или придумал еще что-нибудь, чтобы полка упала.

— Но почему она упала именно на тебя? А не на Розу, которая крутится на кухне все время? Или на меня? Это ведь как надо все предусмотреть и следить за тобой, чтобы план сработал, чтобы полка упала именно в тот момент, когда рядом с ней будешь проходить именно ты.

— А я думаю, что план этого преступника сводился к тому, чтобы полка с тарелками просто упала — неважно, на кого, понимаешь? Чтобы появление осколков в макете оправдать. А еще все это делается для того, чтобы мое внимание было постоянно приковано к этому чертовому макету!

В этом она была права. Кто лучше самого режиссера знает основную цель постановки?

— Тсс...

Она приоткрыла дверь, и мы увидели спящую Розу.

— Она спит. Ладно. Поднимемся наверх.

— А вдруг там еще что-нибудь будет эдакое? — вдруг предложила я.

— Думаешь, одним пожаром дело на сегодня не обойдется? Ему захотелось двойной дозы страха?

— Пожар — это уже страшно, здесь ты права. И если этот поджог был репетицией настоящего пожара и угол дома должен по-настоящему загореться, то здесь уже без полиции не обойтись. Кстати, дом застрахован?

— Да. Клементина все застраховала. Она была очень умной, хозяйственной женщиной.

— Но все равно, если дом сгорит — будет ужасно жалко. И сам дом, и все эти прекрасные вещи, которыми дом просто набит, — искренне заметила я.

— Типун тебе на язык, — холодновато отозвалась Соня.

— Извини.

Мы поднялись на чердак, и, оглянувшись, я вдруг заметила в руках у Сони бутылку. На этот раз это было виски. Видимо, она прятала ее в кармане пижамной куртки.

— Да, да! Ну и что?! Это мое дело!

Мы включили свет. На чердаке все еще крепко пахло дымом, да и воздух был не прозрачный, а мутный. Как растворенная водой анисовая водка, подумалось мне почему-то. Быть может, потому, что в руках у Сони появилась еще одна маленькая бутылка, от которой крепко пахло анисовыми каплями и моей детской простудой.

— Соня, ты что, решила напиться? А мне тогда что остается делать? — возмутилась я. — Вот только еще алкоголички во всей этой истории мне и не хватало! А если я тоже напьюсь? А если мы вместе с тобой примемся пить? Да у нас не только дом сгорит, но и мы вместе с ним!

Еще я хотела добавить, что главное во всей этой истории — найти мотив этих странных поступков. Хотела сказать, но не успела.

Глаза мои округлились от ужаса, когда я увидела внутри макета, в том месте, где находилась, вероятно, кладовая рядом с кухней, куклу-мальчика в синем комбинезоне.

— Послушай, а почему у него такое голубое лицо? Словно его вымазали в голубой зубной пасте?

— Но я же выбросила его!!!

— Кого?

— Эту куклу, помнишь, я рассказывала тебе, что эту куклу уже подкладывали сюда? А потом ко мне пришел устраиваться наш садовник, Уве. Ну, тот. Он сильно пьет, собака! Между прочим, что-то давно я его не видела. Вчера, как я уже тебе рассказывала, я нашла его в садовом домике — пьяным. Я еще принесла ему семена садовой гвоздики...

— Послушай, Соня. Что это за комната, расположенная рядом с кухней? Судя по всему — кладовка?

В макете это была пустая комната. Без мебели. Хотя по всему макету была расставлена сделанная вручную миниатюрная стилизованная мебель. Кто-то, вероятно, архитектор, хорошо постарался, чтобы превратить макет в точную копию дома.

— Муж рассказывал мне, что Клементина, его мать, поручила архитектору придумать и мебель. И потом по этим эскизам заказывала шкафы, кровати и все остальное в мастерской.

— Получается, что в этой комнате, где нет мебели...

— Это холодильная камера, — низким голосом ответила Соня. — Морозильник, где хранится замороженное мясо. Вообще-то мы предпочитаем покупать охлажденное мясо, но в морозилке всегда держим что-нибудь на всякий случай. У меня даже гуси есть, мясо косули.

— Косули — это, конечно, хорошо, — задумчиво проговорила я. — Но подсказка говорит о том, что в твоей морозильной камере, помимо косули, сидит (или лежит) человек в комбинезоне! Возможно, твоя морозилка завтра сломается, и тогда ты вызовешь мастера, и он непременно должен быть в синем комбинезоне. Можно предположить также, что твой садовник, которого мы видели... в синем комбинезоне, так напился, что перепутал двери и вместо садового домика оказался в морозильной камере и... замерз там.

И мы, не сговариваясь, бросились вниз.

Соня, бледная, как бумага, какое-то время возилась с ручкой двери, ведущей в камеру, пока не сообразила, что она заперта. Пришлось ей искать ключ в ящике буфета. Вставив ключ и повернув его пару раз, она посмотрела на меня как-то странно, словно в ожидании нового приступа боли, у нее даже лицо скривилось в страдальческой гримасе.

— Господи, Ната, только бы все то, что ты только что сказала, явилось плодом твоего воображения!

Она распахнула дверь, и мы сразу же увидели на плиточном холодному полу морозильной камеры, представлявшей собою небольшую комнату с подвешенными на крючьях тушами поросят и гусей, лежавшего ничком парня в синем комбинезоне. Желтая лужа под ним замерзла, из чего я сделала вывод, что несчастный пьяница-садовник попросту обмочился перед тем, как окончательно замерзнуть. В полураскрытой ладони его была наполовину опорожненная бутылка виски.

— Уве! — просипела Соня, подбегая к парню и переворачивая его на спину. — Вот черт...

Она затормошила его, заговорила по-немецки. Должно быть, хотела узнать, жив он или нет. Но все усилия ее были тщетны. Даже мне, человеку неискушенному и практически не сталкивавшемуся со смертью (не считая, конечно, смерти Тони, но мертвого-то я его никогда не видела!), было понятно, что садовник мертв. Во-первых, когда Соня переворачивала его, видно было, что тело его уже закоченело. И что-то не верилось мне, что после Сониного вмешательства и кучи вопросов, обращенных к замерзшему, он оттает и начнет отвечать ей на бойком немецком языке...

— Вот уж не повезло человеку, — покачала я головой.

— Ты кого имеешь в виду? — нахмурилась Соня. — Уж не этого ли алкаша? И ты еще называешь его человеком? Да он — скот!!! Его приняли на работу, пообещали хорошую зарплату, даже жилье предоставили и еду...

— Надо вызвать полицию, ведь так? — предположила я, понимая, что оставлять труп в морозилке небезопасно: вдруг электричество отключат часов на... несколько?

— Полицию?! — Брови ее поползли вверх. — Ты предлагаешь мне вызвать полицию?! Ты это серьезно?!

— А что еще остается делать?

— Да ты представляешь, что потом будет?!

— А что будет? Ну, напился человек, перепутал двери, зашел в морозильную камеру и замерз.

Обыкновенный несчастный случай. С пьяными такое иногда случается.

— Он — мой работник, и я несу за него ответственность. И если он замерз у меня в доме, то и отвечать за него придется тоже мне. К тому же он — немец, а я кто?

— Думаю, русская с германским паспортом.

— Правильно. Мы не можем вызвать полицию. Ты не забывай, что в этом доме, помимо меня и Розы, живет и еще один человек.

— Это кто же? — сначала не поняла я.

— Ты, Ната! И без каких-либо документов, разрешающих право на въезд. Ты хочешь, чтобы тебя посадили в тюрьму?

— Да, я только об этом и мечтаю всю жизнь.

— Тогда давай думать, как поступить.

Мысли мои путались.

— Думаю, начать надо все же с того, чтобы сохранить спокойствие и тишину в доме — чтобы не разбудить Розу.

— Я тоже так думаю. А что потом?

— Соня, я понимаю, ты сейчас волнуешься, но не до такой же степени, чтобы не понимать самого простого: этого горе-садовника нельзя оставлять в камере.

— Скажи мне: ты до сих пор считаешь, что и эта смерть в моем доме не случайна? — Она приблизила ко мне свое совершенно белое лицо. — Да?! Теперь-то ты понимаешь, почему я вызвала тебя?

Я не знала, что ответить. Куклу в синем комбинезоне я в макет не подкладывала — это точно. Думаю, что не делала этого и Роза. Значит, это сделала Соня. Или я вообще ничего не понимаю.

А может, этот труп в морозильной камере и есть конечная цель Сони? Может, всех этих кукол она придумала для того, чтобы в результате обнаружился этот труп? Чтобы оправдать каким-нибудь образом его появление?

Но тогда возникает другой, наиболее важный вопрос: естественной ли смертью (вернее, в результате ли несчастного случая) погиб садовник? Не убили ли его? А если убил, то кто?

Мне стало страшно. Примерно как тогда, когда я поняла, что меня, вернее, мои органы, хотят продать на трансплантацию, и спасти меня не может даже мой любимый Тони.

Страх липкой испариной выступил на моем лице.

— Соня. Какой кошмар! До меня только сейчас дошло, что в твоем доме — труп, и если позвонить в полицию, неприятности и большие проблемы будут не только у тебя, но и у меня. Может, ты что-то скрываешь от меня? У тебя есть враги? Реальные? Чего от тебя, наконец, хотят?! Упечь тебя за решетку? Отнять дом?

— Я не знаю. Я уже ничего не знаю! Что делать, Ната?

— Избавиться от трупа, — развела я руками. — Что же еще?

— Закопать его в саду? — Она горько усмехнулась.

— Нет. Так поступают лишь в старых добрых английских криминальных романах. И потом, как правило, сад перекапывают, труп находят — со всеми вытекающими отсюда последствиями. Думаю, его надо отвезти подальше от дома.

— Но как?

— Скажи, тебя часто останавливает полиция? Часто проверяет твою машину?

— Нет. Еще ни разу...

— Будем надеяться, что тебе повезет и на этот раз.

— Ты предлагаешь положить труп в багажник?

— Нет. Я очень боюсь, но думаю, что его придется усадить каким-то образом на заднее сиденье и положить рядом с ним вот эту бутылку виски. Вроде мы везем пьяного садовника к нему домой.

Я говорила так хладнокровно потому, думаю, что мертвец пока еще продолжал лежать у нас под ногами, а не рядом со мной на заднем сиденье.

И еще одну деталь я заметила. Когда испытываешь страх, организм твой мгновенно перестраивается, и ты перестаешь обращать внимание на некоторые, очень неприятные для тебя вещи, упорно идешь к достижению своей цели — удалению причины этого страха. И лишь после того, как все оказывается позади, ты оглядываешься назад и поражаешься тому, что тебе удалось пережить.

Я до сих пор с содроганием вспоминаю те долгие минуты, которые мне показались часами, когда мы укладывали, вернее даже, усаживали окоченевшего, одеревеневшего, завернутого в плед садовника на заднее сиденье — рядом со мной. Труп, понятное дело, постоянно приваливался ко мне в доверительно-пьяном движении, и тогда мне казалось, что мой левый бок просто леденеет от холода. Еще что-то странное происходило с моими волосами. Сказать, что они вставали дыбом всякий раз, когда мы проезжали мимо патрульных, это слишком мягкое выражение. Они шевелились на голове, как змеи, и это мерзкое чувство, что волосы мои змеятся и совершенно неуправляемы, заставляло покрываться все тело мое мурашками.

Понятное дело, я не знала, куда мы едем. Понимала, что куда-то за город, однако я ошиблась. Когда впереди показалась окраина, наша машина свернула влево, затем въехала в какие-то каменные ворота и остановилась.

— Что это? — спросила я, рассматривая в снопе прожекторов бетонный бассейн, груды строительного мусора, технику.

— Это стройка, причем она идет бешеными темпами. Они что-то бетонируют, думаю, это будет какой-нибудь торговый центр с подземными гаражами.

Я поняла, что она хочет сбросить тело в один из котлованов, присыпать его землей, чтобы потом нашего незадачливого пьяницу-садовника залили бетоном. Что ж, идея отличная.

Машина наша стояла таким образом, что с трассы ее не могло быть видно. Мы выволокли тело садовника, протащили до самого дальнего котлована и сбросили туда. Затем спустились, насколько это было возможно, и с помощью прихваченной из дома лопаты присыпали тело землей.

А потом пошел дождь. Словно он должен был полить то страшное, что мы «посадили» в землю. А заодно уничтожить наши следы.

— Какой же хороший дождь, — шептала на обратном пути Соня, глядя прямо перед собой немигающими глазами. — Как же он все хорошо польет. Не останется не только следов нашей обуви, но и следов протекторов. Ничего! Это очень хорошо. Очень! Значит, мы все сделали правильно.

Вернувшись домой, я поняла, что уже три часа утра и я, возможно, совершила самую грандиозную ошибку в своей жизни — помогла незнакомой мне женщине избавиться от трупа. И кому теперь объяснять, что так сложились обстоятельства, что я не хотела этого делать, но была просто вынуждена, поскольку тянущиеся из прошлого какого-либо человека проблемы всегда касаются его настоящего и, конечно, будущего. Не влюбилась бы я в Тони — не приехала бы в Болгарию — не попала бы в руки преступников — не сбежала от родителей — не заимела бы проблем с документами — не согласилась бы на авантюрное предложение незнакомого мне человека отправиться в очень рискованное путешествие в Германию — не познакомилась бы ближе с, возможно, преступницей и убийцей (а почему бы и нет? Кто знает, как на самом деле умер садовник?) Соней — не согласилась бы помочь ей избавиться от трупа.

Вот такая тяжелая, как кандалы, цепь событий, влекущая одну за другой ошибки, проступки, преступления.

— Ложись спать. Да, спасибо тебе большое за помощь, — как бы между прочим, сказала Соня, энергично бегая по дому в поисках подручных средств — ей хотелось привести в порядок морозильную камеру.

Она надела белые резиновые перчатки, плеснула в ведро теплой воды, сыпанула туда какой-то дезинфицирующий, дурно пахнущий порошок, распахнула дверь морозилки, вошла туда и принялась мыть пол.

Я стояла и смотрела, как она это делает. Спать? Сна не было ни в одном глазу. Перед глазами стояла картинка из недавнего прошлого: завернутый в красный клетчатый плед садовник, похороненный вместе с бутылкой виски на дне котлована. Такое разве забудешь?!

— Я помогу тебе, — вдруг сказала, не прерывая своего занятия, Соня.

— В смысле?

— С документами. Ведь это же я втянула тебя в эту историю. Да и приехала ты тоже из-за меня.

Думаю, тебе уже пора успокоиться и почувствовать себя нормальным человеком.

— Не понимаю...

— Ты живешь в этой стране нелегально: постоянно дергаешься, когда встречаешь полицейских. Так ведь?

Я вдруг поняла, что она изменилась: вместо нервной, не находящей себе места Сони я видела перед собой довольно-таки спокойную, разве что немного суетливую женщину, увлеченную простой грубой работой. Словно и не было никогда в морозильной камере трупа, а так — обычная профилактическая уборка проводилась лично хозяйкой дома.

— Да, я действительно переживаю из-за отсутствия визы.

— Я помогу тебе. У меня есть некоторые связи, возможности, деньги, наконец!

— А то, что происходит с твоим макетом? Что мы с этим со всем будем делать? Ведь кто-то же подложил эту куклу в синем комбинезоне? Соня, а может, это ты сама? — вдруг спросила я так, словно мы с ней были в очень близких отношениях и мне ничего не стоило предположить ее участие в этом идиотском спектакле.

— Что?! — Она швырнула тряпку на пол, повернулась и уставилась на меня широко распахнутыми глазами. — Ты что такое говоришь?! Но... зачем мне все это?!

— Понятия не имею, — пожала я плечами. — Но все это действительно с самого начала выглядело так, словно все это делается самой хозяйкой — то есть тобой. Я не отрицаю, что ты могла делать все это не нарочно.

— Как это?! — У Сони даже рот приоткрылся, настолько ее потрясли мои смелые предположения.

— Может, ты страдаешь лунатизмом и сама не ведаешь, что проделываешь ночью? Такое встречается, не часто, конечно, но все равно.

— Я — лунатик?! Час от часу не легче! Значит, все это время, что ты жила здесь, со мной, ты воспринимала меня как психопатку, как лунатика?!

— Я не уверена, что лунатизм можно приравнивать к психическим заболеваниям...

— А к каким же еще, по-твоему? К глазным или гинекологическим?!

— Я не это хотела сказать.

— Что хотела, то и сказала. — Она сорвала перчатки и тоже зашвырнула их подальше. Села прямо на пол в коридоре и разрыдалась.

Ну, что ж. Во всяком случае, я сказала то, что хотела. А теперь — куда кривая выведет. Если мне придется отсюда уйти — уйду. Так решила я тогда. Но успокаивать ее я не стала. Да и не жалко мне ее было, и все ее слезы, как мне казалось, имели под собою совершенно другую причину. Нервы. Ведь мы же избавились от трупа, а это — колоссальная психическая нагрузка. Во всяком случае, тогда я не чувствовала себя виноватой. Мне даже показалось, что в наших отношениях наметился существенный

Анна Данилова

сдвиг — ведь теперь я не казалась сама себе зависимой от этой странной особы, больше того, мне показалось, что это она теперь зависит от меня, от моего молчания: ведь именно в ее морозильной камере погиб Уве-садовник.

Мысль о том, что от меня — в связи с этой смертью — тоже захотят избавиться, меня как-то не посетила.

19.

Мюнхен, октябрь 2008 г.

— Катлин, это я, Роза! Буду говорить тихо, чтобы меня никто не услышал. Я уже говорила тебе, моя дорогая подруга, что в нашем доме происходят очень странные вещи. Так вот? У меня нехорошее предчувствие! И связано оно, как ни странно, не с этой приезжей девушкой, Натальей, а именно с Софи. Тебе это может показаться обычным делом, а меня этот факт насторожил. Помнишь, я тебе рассказывала, чем я кормлю свою хозяйку? Она — настоящий мясоед. Очень любит мясо. Может есть его на завтрак, обед и ужин. Я научилась готовить ее любимые блюда, некоторые, правда, мне приходится заказывать в ресторане, поскольку там особая технология приготовления. Так вот, вчера она попросила меня приготовить абсолютно вегетарианский обед!

— Роза! Я не понимаю! Какой же ты стала мнительной! Подумаешь! Сейчас многие переходят с мясоедения на вегетарианство, считается, что так организм лучше очищается. Да и усваиваются овощи без мяса гораздо лучше. Роза, да что я рассказываю тебе такие простые вещи?! Ничего страшного не происходит. Почему тебе все кажется таким подозрительным?

— Я так и думала, что ты отреагируешь именно так. Я понимаю, да, вегетарианство — хорошая штука. Но тогда почему бы не приготовить обед наполовину вегетарианский? Может, Софи решила перейти на овощи, но гостья-то почему должна страдать и есть горошек с морковкой?

— Роза, ты всерьез думаешь, что все то, о чем ты сейчас говоришь, заслуживает внимания?

— Она попросила меня об этом очень странным тоном. Я бы даже сказала — угрожающим.

— И это все, что ты хотела мне сказать? Я-то, дорогая подружка, ждала от тебя другого.

— Не понимаю...

— Ты еще не приняла решения?

— Какого?

— Я предложила тебе жить вместе со мной!

— А... Да. Да, я еще думаю. Подожди, я что-то еще хотела тебе сказать. Стой, дай-ка вспомнить. Вот. Вспомнила. Уве! Наш новый садовник! Молодой мужчина довольно-таки приятной наружности. Представляешь, Катлин, он — ее любовник!

— Чей?!

— Софи. Я сама лично видела, как она наведывалась к нему в садовый домик. И так вышло, что мне удалось подслушать часть их разговора.

— И что? Это он подбивает ее играть на чердаке в куклы?

— Да куклы здесь вообще ни при чем! Он упрекал ее в том, что она стала неласковая, что они встречаются слишком редко, и если так и дальше пойдет, он заведет себе другую хозяйку. Но я-то поняла, что под словом «хозяйка» он подразумевал слово «любовница».

— Вот уж ты меня удивила! Софи?! Хотя, а почему бы и нет?! Мужа-то у нее вроде бы и нет.

— Она замужем, я тебе говорила. Другое дело, что ее муж живет в Берлине и совсем не навещает жену, не бывает здесь. Я просто хочу сказать, что никакая это вообще не семья! Но она замужем, это точно, я видела документы.

— Ну и ладно. Это их дела. Так что там с садовником? Ему не хватает любви? Ох, Роза, как все это романтично...

— Он пропал.

— Кто?

— Уве. Наш садовник. Я лично видела, как он вчера вошел к себе в домик, и в руках у него была бутылка. С нашей территории он не выходил, ворота я ему не открывала.

— Он мог перелезть через забор.

— Мог, теоретически. Только зачем? К тому же в саду накопилось много работы. Сад этот в отличие от твоего страшно запущен.

— Да я все понимаю. Никакой он не садовник! И комбинезон носит лишь для отвода глаз. Для тебя, Роза, старается. Чтобы ты не догадалась, что они — любовники. Как все это глупо, честное слово! Но почему ты так нервничаешь? Я же слышу по твоему голосу, что ты взволнована.

— Я устала от всего этого, Катлин. А еще мне страшно! Кроме того, я так до сих пор и не поняла, зачем Софи вызвала к себе эту русскую девушку. Не заметно, чтобы они были хорошими подругами. У меня такое впечатление, словно одна, каждая в отдельности, присматривается к другой.

— Бросай все и увольняйся, — перебила ее Катлин. — И не засоряй себе голову какими-то догадками и предположениями, тем более что они не имеют никакого отношения к тебе лично! Переезжай ко мне, наконец! Сколько уже можно прислуживать, Роза?! Вот увидишь, как изменится твоя жизнь. Мы будем читать друг другу вслух, ухаживать за садом, путешествовать...

— И еще, — вдруг вспомнила и перебила ее Роза. — Перчатки! Резиновые перчатки, которые я надеваю, когда мою полы. Так вот. Они — мокрые. Словно ими пользовались. Это не одноразовые, а плотные хозяйственные перчатки, ты знаешь.

— И что?

Вместо ответа Катлин услышала в трубке всхлипывания.

20.

Мюнхен, октябрь 2008 г.

Никогда еще я не чувствовала себя такой одинокой, брошенной и никому не нужной, как в ту ночь. Я была рада, что никто не слышит, как я поскуливаю и даже подвываю, лежа под одеялом, как брошенная собака.

Конечно, я сама была виновата в том, что попала в такую невозможную и опасную ситуацию, оказалась втянута в авантюру, главный смысл которой мне пока еще оставался неясен. Вот убьет меня Соня или просто свалит на меня вину за смерть своего садовника, и никто не узнает, где я, что со мной или в какой тюрьме я сижу!

Я с острым ностальгическим чувством вспоминала Страхилицу, ее туманные теплые вечера, густые дожди, мутные зеленоватые пейзажи, низкое, усыпанное крупными звездами небо, соседского ишака, меланхолично жующего фиолетовые цветы на холме за моим домом, моих пугливых козочек, которых я с трудом приручила (почему-то вспомнилась мне коза Лиза, которая носилась от меня по двору с раздутым красным воспаленным выменем и не давала себя подоить, так ей было больно). Даже комнату свою вспомнила — с широкой кроватью и постельным бельем, подаренным мне Нуртен, с вышивкой и широким, ручной работы, кружевом по краю.

Когда же я представляла себе симпатичную крупную морду Тайсона, его широкую улыбку, какой он всегда встречал меня, когда я только появлялась во дворе, сердце мое сжималось, словно я тосковала по близкому, любимому человеку.

Это как же надо было одичать, чтобы место в моем сердце занял беспородный Тайсон!

У меня оставались деньги, причем немалые, и я решила, что самое разумное, что можно сделать в моей ситуации, — бежать. Подальше от этого дома, от этой ненормальной Сони, от заколдованного ее воспаленным воображением макета. Напрасно я приехала, это ясно. Но Соня? Разве она не понимала, что я могу сбежать? Она же знает, что от тех денег, которые она мне выслала, у меня что-то осталось. Да, кстати, вопрос денег. Пять тысяч евро — немалая сумма. Зачем ей пришлось так изрядно раскошеливаться, если я ей была, по сути, и не нужна? Совершенно! Она с таким же успехом могла бы приблизить к себе Розу, поделиться с ней, попросить посочувствовать ей, принять участие в ее проблемах. Дешевле бы обошлось.

Наташа Вьюгина. Кто же она такая, раз меня с ней перепутали? Или не перепутали? Но тогда, тем более, ничего не ясно!

Около пяти утра я поняла, что мне совсем худо и я готова к очередному безумному поступку: если не к побе́гу, то, во всяком случае, к какому-то радикальному поступку, способному встряхнуть мои мысли и направить их в нужную мне сторону.

Я умылась холодной водой, оделась, спустилась, нашла телефон и устроилась с ним в уютном кресле в холле, так, словно собиралась оставаться там несколько часов в ожидании чуда.

Я набрала домашний номер Германа Кифера. Почему бы и нет? Ну и что, если я даже разбужу его? Мало ли кто кого будит не вовремя!

А если он, к примеру, спит с женой или с девушкой? Как он объяснит столь ранний звонок?

Я резко отключила телефон. Нет, звонить в пять утра — это не то чтобы невежливо, это просто свинство. После такой выходки я уж точно не смогу рассчитывать на помощь и без того постороннего мне человека. В сущности, шансов каким-то образом повлиять на ситуацию с помощью Германа у меня было ничтожно мало. Но чего только не бывает в жизни? Если уж я прикатила в Мюнхен к посторонней мне девушке в надежде, что этот визит хоть каким-то образом поможет в решении моих проблем, то чем именно знакомство с Германом отличается от знакомства с Соней? Разве что он не темнит, не делает вид, что мы с ним — старые добрые друзья, да и денег он мне в отличие от Сони не ссужал, не давал, не дарил.

Но я не могла и дальше бездействовать. Настроение у меня было такое. Поэтому я поднялась и постучалась к Розе. Подумала почему-то, что она простит мне столь ранний визит.

21.

Мюнхен, октябрь 2008 г.

Она смутно представляла себе, как будет действовать дальше. И это несмотря на то что бо́льшая часть плана уже сработала. Пожалуй даже, самое главное было сделано — и эта русская была в ее руках. Куда она теперь денется? Даже при условии, что у нее есть деньги, куда она может податься? Обратно в Болгарию? Как товар, среди ящиков в душной фуре? Конечно, с нее станется. Она такая! Она все может!

Ночь прошла в кошмарах. Сна, конечно, не было. Но не было и Уве. Он в последнее время вел себя дерзко, этот Уве! И кто бы мог предположить, что ее четко продуманный план даст трещину в самом, казалось бы, спокойном участке звена — в личности Уве? Да, она знала, что он — подонок, мерзавец, что деньги для него много значат, в сущности, как и для всех. Но разве могла она предположить, что та слабина, которую она допустила в их отношениях, обернется для нее настоящей проблемой? Что Уве воспылает к ней чувствами?!

Это случилось незадолго до приезда этой дурочки Наташи. У Розы был выходной, и они с Уве напились. Уж слишком все хорошо складывалось. Он и девчонку какую-то нашел, которая, надев зеленое платье, пришла сюда, чтобы спросить, не продается ли дом. Да и вообще, видно было, что он старается, делает все, чтобы только она заплатила ему положенное.

Они вместе покупали этих кукол, специально ездили в Платлинг, подальше от Мюнхена. Это Уве нашел в одном из магазинов комплект одежды для кукол, среди которой был и синий комбинезон. Перебрав водки, они, как идиоты, играли в куклы, разобрав макет и хохоча во все горло. Включили громкую музыку и, забыв обо всем на свете, валяли дурака. Ей тогда показалось, что, если так пойдет и дальше, она сможет поручать Уве еще и не такие делишки.

Но та ночь закончилась довольно-таки тривиально. Утром Соня проснулась в кровати рядом с Уве. Никак не могла вспомнить — как же так получилось? Ведь вступать в близость со своим помощником... это не входило в ее планы. К тому же он никогда ей и не нравился. Она хотела потихоньку встать, но Уве проснулся, схватил ее за руку и притянул к себе. И вот чего уж она никак не ожидала — он начал признаваться ей в своих чувствах. Не в любви, конечно, но в страсти, в желании: он, мол, давно уже хотел ее, да только не решался, а вот вчера он понял, что она — девчонка что надо, он всегда мечтал о такой: веселой, без комплексов. А потом он и вовсе сказал то, что предопределило исход дела. Оказывается, он был не прочь поселиться с ней в этом доме! Да уж, она только и делала, что мечтала, а пусть-ка в ее доме поселится ничтожество вроде Уве! Ни внешности, ни ума, ни профессии, ни собственного жилья, ни денег.

В то утро она снова ему уступила. Понимала ли она, что это — своего рода шантаж? Понимала, поэтому злилась еще больше. От Уве надо было срочно избавляться. И если первоначальный план, связанный с появлением в макете куклы в синем комбинезоне, был направлен на то, чтобы Уве изобразил из себя труп в морозильной камере, а Соня вместе с Наташей отвезли бы «труп» на стройку (таким образом, русская оказалась бы привязана к Соне «преступлением» и в дальнейшем во всем подчинялась бы ей), то теперь, когда Уве стал ей мешать, его надо было просто ликвидировать. Навсегда. По-настоящему.

Привыкшая действовать в одиночку (муж уже давно жил своей жизнью, ему была глубоко безразлична жизнь законной супруги), поэтому понимая, что и на этот раз ей не с кем будет посоветоваться, она снова достала газету, которую с недавнего времени считала своей сообщницей. Их было шесть — экземпляров этой газеты, — и разложены они были в разных местах дома так, что, где бы Соня ни находилась, один экземпляр всегда оказывался бы у нее под рукой. Если бы кто-то узнал, в чем она черпает силы — не поверил бы. Короткая заметка, в которой говорится о том, как одна женщина, возможно, отчаявшаяся, а может, одержимая, хладнокровно ограбила несколько банков, произвела на Соню неизгладимое впечатление. Да она просто потрясла Соню, изменила ее взгляд на многие вещи.

«Мюнхенская полиция в среду поймала женщину, попытавшуюся ограбить шесть банков в течение менее трех часов. Как сообщает Associated Press, грабительницу выследили и арестовали в парикмахерской. В операции принимали участие сотни полицейских. Тридцатитрехлетней преступнице, имени которой полиция не раскрывает, удалось украсть четыре тысячи девятьсот семьдесят пять евро из четырех банков, расположенных в центре южногерманского города. Однако в двух отделениях банков ей не посчастливилось, несмотря на то что женщина была вооружена пистолетом. По сведениям полиции, на ней был черный плащ, но она была без маски. Сначала ей удалось скрыться от полиции, затерявшись в толпе, и только через несколько часов полицейским удалось ее выследить вновь. По словам одного из полицейских, ему еще никогда не приходилось сталкиваться со столь дерзкой грабительницей...»

Она даже купила черный плащ и несколько раз проходила в нем мимо банков, тех самых, которые были ограблены этой потрясающей женщиной, представляя, что это она — она, Софи Бехер — и есть та самая грабительница, и полиция сбилась с ног, разыскивая ее.

В такие минуты ей казалось, что она способна на многое. И что она, Соня, обладает огромной внутренней свободой, способной помочь совершить ей то, что она задумала. Тем более что сама-то она рук пачкать не хотела изначально — исполнителя она нашла довольно быстро. И как хорошо и гладко все складывалось! Единственной проблемой, возникшей на ее пути, была виза для Уве.

...Соня встала, набросила теплую кофту и вышла на балкон. Холодный горьковатый воздух, настоянный на запахе слежавшихся мокрых листьев, поздних хризантем и сырости, казался плотным, как желе. «Хоть ножом режь», — подумалось Соне. Небо было затянуто темно-синими рваными облаками, сквозь них проглядывали зеленовато-фиолетовые, похожие на гематомы блики луны. И так тошно было на душе, так страшно, что она готова была даже постучаться в дверь к этой русской, чтобы рассказать ей все с самого начала, повиниться, объяснить, наконец, что же произошло на самом деле и *кто имеет право, а кто — нет*. Но сделать она этого не сможет. И все потому, что Наташа — вовсе не та покладистая безмолвная овечка, какой Соня себе ее представляла с самого начала этой истории. И родители Вьюгиной глубоко заблуждались на ее счет. Наташа — сильный, авантюрного склада человек, обладающий завидной долей храбрости и решительности. К тому же человек довольно-таки цельный, упорно стремящийся к своей цели. Вот и сейчас ее визит сюда со стороны мог бы показаться чистой воды аферой, но на самом деле все не так просто. Она явно приехала в Германию, заведомо зная, что никакой подруги детства по имени Соня у нее нет, но тем не менее понимая, что зачем-то она здесь Соне нужна. Вероятнее всего, для начала она попытается выяснить, зачем именно ее вызвали да еще и дали немалую сумму на поездку, а потом уже попробует использовать это положение вещей в своих целях — хотя бы чтобы закрепиться в Германии, привести в порядок документы и найти работу. Тот факт, что она подложила в макет дома осколки, а потом подожгла его, — яркое свидетельство того, что она включилась в игру и все делает для того, чтобы как можно скорее выяснить истинную цель Сони во всем происходящем...

Вот только вряд ли она когда-нибудь узнает правду!

Роза! С ней становится сложно. Она не так глупа, многое замечает, хотя и не понимает. У нее есть приятельница, помешанная на садоводстве, и это она, узнав, что у них в доме появился садовник, дала Соне семена турецкой гвоздики. И теперь, стоит ей только появиться здесь (а она нередко навещает Розу, ничего уж с этим не поделаешь), она непременно спросит: посеяли ли эти семена, попросит показать ящик с рассадой или парник, с нее станется! Или, что совсем плохо, захочет поговорить с садовником. А его нет! И больше не будет никогда. Разве что постараться и завтра же утром начать поиски нового садовника? Уве-то подруга Розы в лицо, кажется, не знает. Или знает? Она могла видеть его в один из своих коротких визитов. Любопытная старуха!

Роза. Догадывается ли она, что болезнь, уложившая ее в постель (реальная проекция появившейся в макете куклы), не случайна, что тот, кто подложил куклу в кукольный дом, и спровоцировал эту болезнь? В частности, слегка отравил Розу? Это были простые таблетки для похудения, но концентрация их была такова, что разыгравшаяся диарея чуть не уморила бедную Розу.

После этого случая Соня боялась, что Роза уволится. Она и сама не понимала, хочется ли ей, чтобы Роза ушла, или нет. К Розе она привыкла, перестала даже ее замечать и жила себе спокойно, словно знала ее сто лет. Другая же экономка (служанка, домработница, повариха, уборщица) будет непременно раздражать ее своим присутствием, Соня это откуда-то знала заранее.

Но Роза не увольнялась. Быть может, она тоже боялась перемен, ведь она столько лет проработала у Клементины...

Временами, после того, как она чуть не отравила Розу по-настоящему, в душе у Сони просыпались по отношению к Розе теплые, благодарные чувства, но самое стоящее, на ее взгляд, что она могла для нее сделать, — это дать ей денег. Но под каким предлогом? И тогда Соня глушила в себе последние, сохранившиеся еще в душе добрые чувства, внушая себе, что Роза и так должна быть ей благодарна за то, что Соня оставила ее в доме после смерти Клементины, да еще и сохранила ее жалованье. Хотя на самом деле ее «теплые» чувства к служанке были вызваны исключительно страхом разоблачения и желанием подкупить ее.

Однако жизнь продолжалась, и следующим шагом к достижению Соней своей цели было окончательно привязать к себе Наташу. Напугать ее так, чтобы она полностью подчинялась и доверяла Соне, чтобы поверила: все, что Соня делает, — только для блага Наташи. А поскольку самым больным местом на данном жизненном этапе русской были документы, вернее, полное их отсутствие, и она боялась, что кто-нибудь узнает о том, что она проживает в Германии нелегально, то и действовать Соне следовало именно в этом направлении.

Что же касается возникновения возможных вопросов, связанных с макетом и с появлением в нем кукол, то отвечать на эти вопросы следует как можно более туманно, уклончиво. Со временем эта тема исчезнет сама собою, как развеются и Сонины страхи — то, ради чего, собственно, Наташу и пригласили в Мюнхен. И останется лишь голая реальность и желание Наташи как можно скорее легализировать свое положение. И тогда, увлеченная устройством своей новой жизни, она и думать забудет о каких-то там дурацких куклах на чердаке.

Все вроде бы получается, движется согласно плану. Даже Уве удалось убрать незаметно. Горсть растворенных в спиртном барбитуратов — и нет человека! Когда Соня растирала таблетки, она представляла себя медсестрой из клиники «Шарите», отправившей на тот свет нескольких своих пациентов. Кто бы подумал, что какие-то невинные на первый взгляд газетные вырезки из криминальной колонки могут вдохновить людей нерешительных, осторожных на тяжелые преступления?

Конечно, убийство — это венец всех преступлений, и Соня бы ни за что не пошла на это убийство (вернее, на убийства!), если бы не та степень возмущения по поводу свалившейся на ее голову несправедливости, которая заглушила в ней все остальные чувства. Если Бог допускает такую несправедливость, то человек сам обязан защитить себя, побеспокоиться о своем будущем! И в этом случае все способы хороши. Так подсказывало ей течение самой жизни. Сначала — предательство Эрвина, потом предательство Клементины. Никому не было дела до ее, Сониных, чувств, каждый думал только о себе, вернее, о том, что он-то поступает правильно. Теперь ее очередь поступить правильно, по справедливости!

...Когда она очнулась, поняла, что, задумавшись, готовит кофе. В ярко освещенной кухне было уютно, тепло, пахло кофе, и все мрачные мысли, одолевавшие Соню, исчезли, уступив место ощущению умиротворения и покоя. А кого ей теперь бояться? Уве нет, а это значит, что никто и никогда уже не узнает о том, что произошло в далекой Москве, на улице Щепкина.

А через несколько дней жизнь ее и совсем уже кардинальным образом переменится. Возможно, она и поможет Наташе, там видно будет — по настроению. Но вообще-то Наташа — не маленькая девочка и должна понимать, что в этой жизни каждый отвечает только за себя.

Кофе получился густым, сладким. Соня с удовольствием выпила его и решила, что спать ей сегодня уже не придется. Может, подняться на чердак, посмотреть, что придумала на этот раз госпожа Вьюгина? Дурочка Вьюгина? Полила макет водкой и разложила на этажах бутерброды? Или сломала лестницу? Вот уж развлечение они себе нашли, играются в куклы, как дети!

Она поднялась на чердак, включила свет и увидела, что маленький дом стоит себе, как ни в чем не бывало, разве что не посмеивается уголками окошек. Уж он-то много чего мог бы рассказать тем, кто заинтересовался бы теми странностями, происходившими как в нем, так и в настоящем доме.

Запах жженой бумаги еще до конца не выветрился. Соня прошла к окну, открыла его, впустив сырой холодный свежий воздух, вернулась и, уже проходя мимо макета, вдруг уловила боковым зрением фиолетовое пятно. Повернула голову и поняла, что на втором этаже, в комнате Розы, появился какой-то новый предмет. Фиолетового цвета. Интересно, неужели игра в куклы еще не закончилась?

Она подошла поближе и, увидев куклу в фиолетовом платье, почувствовала, как волосы на ее голове зашевелились. Кукла была подвешена к перекладине над окном в комнате, соответствующей комнате Розы. Больше того, этой кукле кто-то свернул голову, и она, кудрявая, болталась на одной резинке.

Роза повесилась. Русская шутка? Шутка русской! Шутка идиотки русской! Шутка русской идиотки. Идиотская шутка русской. Наташа пошутила.

Ноги почему-то не слушались ее.

А что, если в эту игру включилась и Роза?!

К черту все эти игры! Пора заканчивать все эти дурацкие спектакли и сжечь, к черту, макет!!!

...Она не помнила, как спустилась с чердака, подбежала к двери, ведущей в комнату Розы, схватилась за ручку и рывком опустила ее. Дверь начала медленно открываться. И там, внутри чистенькой, освещенной ярко-оранжевым светом напольной лампы комнаты, Соня увидела подвешенное к потолку тело женщины в фиолетовом платье. Голова со спутанными светлыми волосами болталась, словно держалась на шее не позвонками и мышцами, а тонкой резинкой, как у куклы.

22.

Мюнхен, октябрь 2008 г.

Я сидела в том же ресторане, где познакомилась с Германом. Сначала просто пила кофе, чашку за чашкой. А потом просто курила и разглядывала визитку господина Кифера, поглядывая на дверь ресторана.

Я позвонила ему с домашнего телефона Сони в шесть утра и взволнованным голосом попросила о встрече. Он сказал, что придет в «наш ресторан» в девять часов. Что ж, меня это устраивало. Во всяком случае, у меня было три часа для того, чтобы собраться с мыслями и подготовиться к встрече. Еще один незнакомец. Я подумала тогда, что в моей жизни за последние несколько лет многое изменилось, и связано это было с появлением в ней каких-то незнакомых мне людей. Сначала это был Тони, потом — его огромная пестрая семья, затем целый хоровод болгар, которые кружились вокруг меня, участвуя в новой для меня жизни (жители Страхилицы, агент по недвижимости, нотариус, какие-то люди из соседних сел), потом — девушка из турбюро в Шумене, водитель фуры — Николай, потом — Соня, Роза и вот теперь — Герман Кифер. Кто следующий?

Может быть, мои родители были правы, воспротивившись моей поездке в неизвестную мне страну, к почти незнакомому мне мужчине? И, может, жизнь моя сложилась бы по-другому, гораздо счастливее, если бы я вышла замуж за одного из своих хороших знакомых-«ботаников»? Возможно, я так же оказалась бы в одной из европейских стран, но только в качестве жены молодого профессора-физика или математика, а то и дипломата. Во всяком случае, так хотели мои родители, и ничего плохого в этом их желании не было. Конечно, они желали мне спокойной, комфортной и обеспеченной жизни. А что выбрала я? И что мне дала та свобода, которую я ценила больше всего на свете? Ну, перемещаюсь я из страны в страну, но разве чувствую я себя от этого свободной и счастливой? Нет, не чувствую. Больше того, жизнь продолжает кидать меня из одних чужих рук в другие. Вот и сейчас. Ну зачем я какому-то Герману? Кто я ему? Да никто! Я боялась, что, увидев его недовольную мину, сразу же попрошу прощения и вернусь домой. Вернее, туда, где я кому-то и зачем-то нужна. К Соне.

Но, увидев еще в дверях улыбавшегося, бодрого, спешившего ко мне Германа, я успокоилась. Мне показалось, что он искренне рад нашей встрече.

— Я думал, мы никогда больше не увидимся, — сказал он, усаживаясь рядом со мной за столик и беря меня зачем-то за руку. Я уже отвыкла от прикосновений мужчины. Но он словно согревался о мою руку. Или наоборот? В любом случае мне это было приятно. И видеть, и чувствовать его.

Подошла официантка. Герман заказал, как я поняла, кофе. Потом, словно опомнившись, спросил меня, завтракала ли я. Я ответила, что нет, у меня и аппетита-то нет. Но он все равно сказал что-то официантке.

— У тебя такое лицо. Что случилось? Проблемы?

— Да.

Я уже знала, что расскажу ему все. Больше некому. Если он посмеется надо мной, что ж, так мне и надо. А если предложит помощь или что-то посоветует? Ну, не родителям же мне звонить!

— Скажи. Скажи, что случилось! Я же вижу, что тебе плохо. Твои глаза говорят за тебя.

— Я раньше жила в Москве. У меня очень хорошие родители. Училась я средне. Мало с кем дружила. Мне всегда нравилось быть одной. Наперекор родителям я купила мотоцикл, чтобы почувствовать себя свободной. Часто мне приходилось занимать деньги, чтобы покупать запчасти к мотоциклу, какие-то аксессуары.

— Ты — байкер?

— Нет. Я — сама по себе. Просто я люблю скорость, ветер в ушах. Адреналин.

— А я, признаться, нет, — улыбнулся Герман и сжал мою вялую холодную руку в своей теплой мягкой ладони. — И что же случилось?

— Я познакомилась по Интернету с парнем из Болгарии, его звали Тони. Несмотря на отговоры родителей, отправилась к нему в Варну, вернее, в один курортный городок рядом с Варной, на море. Оказалось, что это цыганская семья. Долго рассказывать не стану. Меня чуть не продали на органы. Тони убили. Мои родители разыскали меня с помощью нашего консульства в Варне, и я должна была поехать вместе с ними в Москву, домой. Но я не поехала. Дело в том, что семья Тони вытащила из них пятьдесят тысяч долларов, и я знала, что в Москве меня каждый день будут упрекать этими деньгами... что я просто задохнусь от этих упреков. Я сбежала от родителей, прямо в Варне. Тони перед смертью успел отдать мне мои документы и кое-какие деньги. Вот на них я купила маленький домик в деревне, животных. Два года я жила в этой турецкой деревне.

— Почему — турецкой?

— Потому, что там живут одни турки. Этот район так и называется — Делиорман.

— Понятно. Ну и история!

— История впереди. Недавно мне пришло письмо, из Мюнхена, от Софи Бехер. Она писала, что ей нужна моя помощь.

— Вы были раньше знакомы?

— В том-то и дело, что нет! Но она обращалась ко мне, как к самой своей близкой подруге детства. У нее какие-то сложные обстоятельства, нужна моя помощь. Но не это главное. Главное — это деньги. Пять тысяч евро, которые она мне прислала для того, чтобы я приехала сюда.

— Пять тысяч евро?! Но что ей от тебя нужно? Ведь просто так такие деньги она бы не отправила. Значит, ей действительно нужна была эта девушка. Я имею в виду, твоя однофамилица.

— Да. Но приехала я.

— Зачем? Ты же понимала, что ты — не тот человек, которого Софи хотела видеть?

— Да. Но у меня в Болгарии были проблемы. У меня просрочена виза. Да и живу я трудно. Я подумала: приеду сюда, а потом уж мы разберемся. Может, эта женщина, Софи Бехер, узнав мою историю, поможет мне с моей ситуацией? Я помогу ей, а она — мне.

— Но ведь ты же — не она, не та девушка!

— Но я уже приехала! — простонала я, сжимая кулаки. — При-е-ха-ла! Причем без визы. На большой машине, камионе[1].

Герман смотрел на меня с видом родного отца, которому блудная дочь рассказывает о своих странствиях. От его прежней улыбки не осталось ни следа. Вот только осуждение или сочувствие кроется в его взгляде — я так и не поняла.

---

[1] К а м и о н — так в Болгарии называют крупногабаритные грузовые машины.

— И что Софи? — спросил он, глядя на меня задумчиво и очень серьезно. — Она сразу поняла, что ты — другая девушка?

— В том-то и дело, она сделала вид, что я — именно та самая Наташа Вьюгина, приезда которой она ждала, подруга ее детства.

Герман покачал головой:

— А может, ты действительно ее подруга, да только забыла об этом?

— Не знаю. В кухне у Сони я увидела кофейную машину, точно такую же, какая была у нас в Москве. И Соня сказала: да, я видела ее в квартире твоих родителей. Получается, что она была у *моих* родителей! Значит, я — та особа, которая ей и нужна!

— Очень странная история! Видимо, ты действительно ей очень нужна. Вот только зачем, я еще пока не понял.

И я рассказала ему о куклах, появляющихся в макете дома.

— Я отлично помню этот макет. Когда Клементина строила этот дом, мы с отцом приходили смотреть. Надо было видеть эту женщину, как она радовалась возможности построить дом своей мечты! И макет, надо сказать, был своего рода произведением архитектурного искусства. Миниатюрный дом. С мебелью! Помнится, мой отец подсказал ей, в какую мастерскую обратиться, чтобы заказать мебель. Конечно, она не всю мебель там заказывала, спальню, к примеру, ей привезли из Италии.

И сантехнику. Но я отвлекся. Куклы. Как странно! И почему же она не обратилась в полицию?

— Да потому, что все это — бред сивой кобылы!

— Бред чего? Не понимаю.

— Это — абсурд, понимаешь? Если бы она позвала полицию и рассказала обо всем этом, о куклах, к примеру...

— Я понял. Да, как-то все это странно. Ничего же не украли, никого не убили...

И тут мне стало плохо. Не убили?! А по-моему, убили! И заморозили в холодильной камере. Но рассказывать об этом я не собиралась. И так-то я уже предстала в глазах добропорядочного немца авантюристкой, сорвиголовой. Если рассказать о том, как я помогала Соне избавляться от трупа садовника, неизвестна будет реакция Германа. А вдруг он не захочет иметь ничего общего с такой опасной особой, как я? Хотя, с другой стороны, я же ни в чем не виновата. Я не убивала садовника! Я вообще видела его один раз, да и то за окном.

— Убили. — Я так и не поняла, как у меня это вырвалось. — Садовник. Соня нашла его мертвым в морозильной камере. Она ужасно испугалась. И когда я предложила ей вызвать полицию, она ясно мне дала понять, что и меня впутает в эту историю, если я не стану молчать. Но внешне все выглядело как несчастный случай. У него в руке была бутылка. Получалось, что он просто напился. Перепутал двери, зашел в морозильную камеру, упал там, уснул — и умер.

— Может, и так. — Герман смотрел на меня, как на героиню кинофильма. Во всяком случае, его удивление и озабоченность сменились каким-то восхищением. — А ты все это не придумала?

— Нет. Но я подыграла Соне, это правда.

— Может, она специально вызвала тебя, чтобы повесить на тебя это убийство?

— Но почему тогда именно меня? В Германии что, своих дур нет?! И зачем было так тратиться? Она с таким же успехом могла бы подставить Розу, служанку.

— Но эта история, с самого начала и до конца, кажется невероятной. Скажи мне, чего ты сейчас хочешь? Во всем разобраться, вернуться в Москву, в Болгарию или остаться здесь?

— Я хотела бы понять — почему я? Узнав это, я пойму и все остальное.

— И ты хочешь, чтобы я тебе помог?

— Не знаю. Я хотя бы рассказала тебе обо всем. Конечно, не обо всем. Кое-что я спрятала за пазухой.

— Что я могу тебе сказать. Ситуация сложная. Но в главном ты права: надо понять, зачем ты понадобилась Софи. Если ты не хочешь возвращаться в тот дом, сможешь пожить у меня.

— Она станет меня искать.

— А мы позвоним ей и скажем, что ты у меня. Что ты жива и здорова и ей нечего переживать. Вот увидишь: если ты ей зачем-то всерьез нужна, она станет действовать, как-то проявит себя. Ты знаешь номер ее телефона?

— Да, конечно.

Я нашла в сумочке блокнот с записями и продиктовала Герману номер. Он позвонил, и разговаривали они по-немецки. Судя по интонациям, Герман успокаивал Соню, вероятно, объясняя, что со мной все в порядке, я нахожусь рядом с ним и мне ничто не угрожает. Потом он пожал плечами и передал трубку мне.

— Ната?! Кто этот человек, с которым ты сейчас находишься? — закричала она мне в самое ухо. — Ты же его не знаешь! Как ты с ним познакомилась? Или, может, вы с ним в сговоре?! Что ты задумала? Отвечай немедленно!!!

Я не понимала, чем была вызвана ее ярость. Она просто сходила с ума от злости, она была в бешенстве.

— Соня, что случилось? Почему ты так разговариваешь со мной? Я же ничего особенного не совершила. Познакомилась с человеком в кафе, он пригласил меня к себе домой. Что в этом особенного? Или ты думаешь, что если я приехала к тебе, то не могу уже и из дома выйти?

— Немедленно возвращайся! У нас беда... слышишь?! — Она всхлипнула. — Роза. Роза. Она умерла, повесилась.

— Соня, брось свои штучки, честное слово! Я тебе не верю. А если даже все так, то я здесь ни при чем. Может, ты хочешь повесить на меня и...

— Тссс... Дура... молчи! — зашипела она. — Умоляю, не произноси вслух ничего такого! Ладно, ты права. Ты имеешь право быть там, где хочешь. Только обещай мне, пожалуйста, что вернешься. Это очень важно! Прошу тебя — не оставляй меня...

— Хорошо, я вернусь. Только с Розой ты переборщила. Оставь ее в покое.

— Но я не придумала это!

— А остальное? Все эти куклы?...

— Это не я, — не сдавалась она.

— Привет Розе!

— Говорю же — она мертва!!!

— Так вызови полицию, — сказал я приглушенным голосом, чтобы она поняла: я переживаю за нее и не желаю, чтобы меня услышал находящийся рядом Герман. — Ты же не можешь оставить ее висеть... там.

— Но если я вызову полицию, они начнут рыться в доме, в саду. Ой, подожди, кто-то звонит. Подожди, не бросай трубку! Кто это может быть?..

Вероятно, она подошла к экрану монитора, на котором просматриваются ворота и часть территории дома.

— Вот черт. Представляешь, это Катлин! ЕЕ подруга! Я потом перезвоню тебе, прошу тебя, не исчезай. — И она отключила телефон.

Герман смотрел на меня с интересом:

— Никогда не сталкивался ни с чем подобным! Но во всей этой истории должно быть рациональное зерно.

— Что ты имеешь в виду?

— Что ни один человек не стал бы так тратиться, не имея от этого выгоды. Вот и твой приезд сюда — это часть какого-то плана Софи.

— Герман. Пойдем отсюда, прошу тебя. Соня знает, где я ужинала в тот вечер. Она нашла меня здесь. А это означает, что она может прийти сюда. Я не хотела бы ее сейчас видеть.

Герман подозвал официантку, расплатился с ней, мы вышли из ресторана, сели в его машину и поехали.

Он жил в трехэтажном доме на соседней от ресторана улице. Уютная просторная квартира со множеством безделушек, среди которых бросалась в глаза большая коллекция маяков — от больших, в человеческий рост, до крошечных, фарфоровых.

— Ты голодная, это я уже понял, но у тебя нет аппетита, потому что ты переживаешь. Любой человек переживал бы на твоем месте. Однако хочу тебе напомнить: чтобы разобраться в твоей ситуации, тебе нельзя болеть. Тебе нужны силы, а потому я сейчас покормлю тебя. Спагетти тебя устроят?

— Устроят, — улыбнулась я.

Я не знаю, как случилось, что я уснула на диване в гостиной. А когда проснулась, не сразу поняла, где я нахожусь. И только скользнув взглядом по маякам, стоявшим возле окна, я вспомнила.

— Я рад, что ты поспала, — услышала я голос Германа и успокоилась. — Ты не забыла, что тебя ждут спагетти? Тебе с сыром или кетчупом?

— И с тем, и с другим!

Мы сидели за столом, ели спагетти, и Герман рассказывал мне об умершей хозяйке дома, свекрови Сони, Клементине.

— Клементина была очень красивой девушкой, а еще — работящей, скромной. Сейчас, как мне кажется, таких уже и нет. Я часто представлял себе: когда вырасту, непременно женюсь на ней... я был маленьким мальчиком, многого тогда не понимал, конечно. Еще мне казалось, что от Клементины всегда пахло чем-то вкусным. Может, пирогом с творогом и ванилью или горячим молоком. Словом, чем-то таким домашним, вкусным. Мне даже думалось, что этот запах исходит от ее длинных красивых передников. Между прочим, один такой передник до сих пор висит у меня в кухне... он — как новый. Хочешь, я его тебе сейчас покажу?

Герман принес темно-синий, в белую полоску передник, где на внутренней стороне пояса была пришита аккуратными микроскопическими стежками бирочка с надписью: «Klementina Schilling».

— Клементина Шиллинг. Вероятно, это ее девичья фамилия. Значит, она была в вашем доме служанкой? Надо же, как сложилась судьба!

— В прошлый раз меня срочно вызвали по одному важному делу, и я не успел рассказать тебе эту историю. Да, на самом деле, она работала служанкой в доме моего отца, и все, кто бывал у нас, сразу же обращали на нее внимание. У нее были темные густые волосы, ярко-синие глаза и очень красивый рот, яркий, как вишня. Она очень любила вишни и часто угощала меня ими. Так вот, полюбил ее один человек — Беньямин Праунхайм, доктор-кардиолог, профессор, он работал у нас в клинике при мюнхенском университете. Какая это была пара! Правда, он был значительно старше нее, но они так любили друг друга. Жаль, что у них не было детей... Быть может, поэтому она потом так привязалась к своему племяннику. Дело в том, что сестра Клементины, Лиза, вышла замуж за русского немца и переехала в Москву. Родила двух детей — сына и дочь. Но семейная жизнь у нее не сложилась, и ее муж, прихватив с собой дочь, уехал в немецкую колонию, в Парагвай... Они, кстати сказать, так и не разошлись, даже поддерживали какие-то отношения, переписывались, муж ее время от времени привозил в Москву дочь, Риту... Клементина с Праунхаймом тоже часто навещали Лизу в России, виделись и с Ритой, но Клементина была к ней почему-то совершенно равнодушна, в отличие от своих почти материнских чувств к Иоахиму. Иногда они привозили сюда на каникулы и Иоахима, он, кстати, с самого детства проявлял незаурядные способности и впоследствии стал блестящим физиком. Клементина его очень, повторяю, любила, опекала, а после смерти сестры заменила Иоахиму мать...

— Скажи, откуда ты так хорошо знаешь эту семью?

— Я в детстве дружил с Иоахимом, он хороший парень, душевный, правда, для него всегда на первом плане была учеба. Хотя однажды он пережил настоящую драму. Так случилось, что он влюбился в одну девушку, но, как оказалось, безнадежно. Она совершенно не обращала на него внимания. Однако, как ни странно, это положительно повлияло на его карьерный рост. Словом, он полностью погрузился в науку, достиг больших высот. Кажется, его приглашали работать в Германию и в Америку, но он занимается какими-то важными исследованиями в Москве. А вот его сестра, та, напротив, быстро вышла замуж, устроила личную жизнь и теперь проживает со своим мужем, небедным человеком, кажется, каким-то промышленником, в Австрии, точно не знаю.

— А как же... Эрвин?

— Какой еще Эрвин?

— Соня сказала мне, что Клементина — мать ее мужа, Эрвина, с которым у Сони не сложились отношения и который сейчас проживает в Берлине!

— Но я не знаю никакого Эрвина! К тому же у Клементины, говорю тебе, не было своих детей, был лишь племянник — Иоахим... Может, мы говорим о разных людях?

— Может, Эрвин — ее второй муж?

— Не знаю, что тебе и сказать! С твоей Софи не соскучишься!

Зазвучал телефон Германа, он ответил по-немецки и тотчас передал трубку мне:

— Где ты, Ната? Ты мне очень нужна, — голос у Сони был какой-то придушенный, неестественный. — Пожалуйста, вернись...

— Я вернусь, если ты мне все расскажешь, — сказала я, собравшись с духом и чувствуя себя защищенной в доме Германа. — Ведь ты же отлично знаешь, что мы с тобой никогда не были подругами! Что я — не та девушка, которая тебе была нужна.

— Да, вы с ней однофамилицы, это правда, я поняла это сразу же, как только увидела тебя на дороге. Но мне было так плохо, так одиноко, что я подумала — пусть будет другая Наташа Вьюгина. К тому же ты мне сразу понравилась.

— А что с макетом? Это ты все придумала?

— Да.

— Но зачем?!

— Чтобы ты пожила со мной в этом доме. Мне было так плохо здесь, так плохо. Иногда мне казалось, что от одиночества я просто схожу с ума!

— Так тебе нужна была всего-навсего компаньонка?

— Подруга, я бы так сказала.

— А как же... — Но тут я осеклась, понимая, что про садовника спрашивать — себе дороже. — Ладно, я сейчас приду. Как там Роза?

— Она ушла.

— Конечно, ушла! Мы с ней договорились, что она возьмет отпуск на неделю...

— Зачем ты придумала это чучело и повесила его в ее комнате?! Думаешь, я не испугалась?

— Не надо было морочить мне голову с самого начала! И пугать меня и Розу. Она не так молода, и разные эксперименты с макетом могли бы отразиться на ее здоровье. К тому же я уверена: ты отравила ее какими-то таблетками, отчего она слегла...

— Ладно-ладно, — перебила меня Соня. — Главное, что Роза жива и что в ее комнате висело чучело, набитое тряпками, а не труп.

— Я сейчас приду, но ненадолго. Пойми, мы совершенно разные и чужие друг другу люди, у нас нет ничего общего. Быть твоей компаньонкой я не смогу, потому что у меня свои планы. Что же касается тех денег, что ты мне дала, думаю, я их отработала сполна, живя с тобою — сумасшедшей — под одной крышей.

— Наташа! Зачем же так?! Ты не знаешь, я ведь начала действовать, и сегодня утром почтальон принес конверт из министерства юстиции.

— Откуда?

— Из министерства юстиции. Это касается тебя! Мэрия города Мюнхена готова оказать тебе помощь и поддержку, а главное — дать разрешение на проживание в Германии на целый год. А за целый год много воды утечет. Возможно, мне удастся найти для тебя хорошую работу. Ты можешь жить со мной или снять квартиру. Но ты могла бы мне обещать — хотя бы изредка навещать меня?

— А если ты вздумаешь поджечь дом? Или отравить меня? Разве ты еще не понимаешь, что ты не совсем здорова? Думаю, твой муж ушел от тебя по этой причине.

— Скажи, вот ты сейчас разговариваешь со мной. Тебя кто-нибудь слышит?

— Нет, я одна в комнате, — солгала я.

— Так ты придешь?

— Приду. Через полчаса. — Я отключила телефон и посмотрела на Германа.

Он улыбался и качал головой.

— Видишь, как все просто, — сказала я. — Оказывается, существует все-таки другая Наташа Вьюгина! И Соня оставила меня у себя, отлично понимая при этом, что она совершила ошибку, вызвала другую — лишь потому, что у нее возникли проблемы психического свойства. Так-то вот!

— Да, я понял кое-что из вашего разговора. Ты все-таки хочешь вернуться? А вдруг она выкинет еще что-нибудь?

— Я должна вернуться, чтобы взять свои вещи и объясниться с ней, попрощаться. Как ты думаешь, я еще должна ей какие-то деньги?

— Думаю, нет. Это она должна тебе денег, поскольку нанесла тебе моральный ущерб. Это я тебе как юрист говорю.

— Ты юрист?

— Да, я адвокат.

— Тогда сделаем так. Ты отвезешь меня к ней, я возьму вещи и вернусь с тобой сюда. А в самое ближайшее время я свяжусь с водителем фуры, который привез меня сюда, чтобы вернуться в Болгарию.

— Может, не стоит так спешить, я попытаюсь тебе помочь с документами? Поверь, твоя ситуация не настолько критическая, чтобы из нее не было выхода. Ты же не преступница какая-то! Ты, скорее, жертва. К тому же, если наша полиция сделает запрос в российское консульство в Варне, где тебя хорошо знают по твоей истории с Тони, то у тебя появится шанс выправить документы и с моей помощью получить разрешение на проживание в Германии. Пусть это будет сначала туристическая виза, а потом я придумаю что-нибудь, попытаюсь найти тебе работу, контракт. И тогда ты получишь разрешение на более длительное пребывание здесь. Все будет законно, и ты заживешь другой жизнью. Не думаю, что тебе стоит торопиться возвращаться в Болгарию. Ты же понимаешь, что твоя Страхилица — временное прибежище.

Так приятно было его слушать. К тому же его обещания звучали куда убедительнее Сониных.

23.

Мюнхен, октябрь 2008 г.

Роза шла в полицейский участок. Не дойдя до него каких-то нескольких метров, она свернула на соседнюю улицу, вошла в кафе и позвонила Катлине.

— Мне надо с тобой посоветоваться. Это срочно! Записывай адрес.

То, что случилось с ней в это утро, заставило Розу по-новому взглянуть практически на все, что начало происходить в их доме после смерти фрау Клементины, ее любимой хозяйки.

Сначала — утренний визит Наташи, которая, как могла, объяснила ей: все, что устраивалось на чердаке — все эти кукольные спектакли на хрупких этажах макета, — дело рук безумной Сони. Наташа плакала, объясняя, что ей страшно оставаться в этом доме, где происходят такие странные вещи. Потом она попросила Розу, которая и без того была напугана этим внезапным визитом, чтобы она хотя бы на неделю покинула дом. Это опасно, твердила Наташа, это очень опасно, Соня — психически больная женщина, и это она отравила Розу, чтобы оправдать появление в макете куклы: все, что происходило потом в доме, было срежиссировано хозяйкой. Роза слушала русскую, молча соглашаясь с ней: получалось, что все ее худшие опасения подтвердились — Софи не в себе!

Потом русская спросила Розу: не знает ли она, где садовник? Роза определенно не знала. И тогда Наташа рассказала ей, что садовник по имени Уве замерз в морозильной камере и что затолкала его туда, пьяного, тоже наверняка Соня. Что она, Наташа, сама видела труп в морозилке, но потом он куда-то исчез. «И так же исчезнем мы — вы и я! Пока этого не произошло, надо срочно заявить в полицию!»

Наташа говорила очевидные вещи, причем такие, в которых так боялась признаться себе Роза.

— А где Эрвин? Ее муж, сын Клементины? — допытывалась русская. — Надо ему позвонить и сообщить, что с его женой беда. Что она невменяема!

И тут Роза поняла, что последние слова Наташи она никак не может усвоить, понять. О каком Эрвине идет речь?! И о каком сыне Клементины, если у нее никогда не было своих детей? Разве что Иоахим — племянник.

— Говорю же, Эрвин — муж Сони и сын вашей бывшей хозяйки, покойной Клементины!

— Но племянника Клементины зовут Иоахим, — слабым голосом заметила Роза. — А не Эрвином. И Соня — жена Иоахима, а не какого-то там Эрвина. Это точно! Только он живет в Москве.

— А Эрвин? — настаивала Наташа. — Кто же он тогда такой?

— Понятия не имею! Нет никакого Эрвина, Соня — жена Иоахима!

— Вы давно знаете Соню?

— Нет, не так давно. Она появилась практически сразу же после смерти Клементины.

— И представилась женой Иоахима?

— Да...

— Скажите, что вам известно о завещании Клементины? Кому должен был достаться этот дом?

— Ее племяннику, Иоахиму!

— Вы видели документы Софи? — спросила Наташа. — Ее паспорт, например? Какая у нее фамилия?

— Паспорта не видела, но присутствовала при том, как она отправляла деньги по Western Union — должно быть, вам, Наташа, — и в банке, протянув свой паспорт, она уточнила фамилию. Она назвала вслух фамилию Иоахима! Кроме того, я видела ее в групповых снимках семейного альбома. Я даже могу принести вам его. И Соня там всегда рядом с Иоахимом, а уж его-то я отлично знаю!

Катлин выглядела, как всегда, веселой, жизнерадостной.

— Роза, я вижу, что дела твои идут не очень-то хорошо. Ты можешь спросить меня: чему это ты так радуешься, Катлин? И я отвечу тебе: да, я рада, потому что теперь, когда у тебя такое грустное и одновременно испуганное лицо, ты, вероятнее всего, близка к решению уйти с работы и поселиться вместе со мной.

— И тебя не интересует, что случилось?

— Интересует, конечно. Но для меня главное, чтобы ты, моя подруга, была здорова и чтобы ты наконец отдохнула, как следует.

— Скажи, Катлин, ведь ты же была вхожа в дом Клементины? Я тебе сейчас покажу один снимок, групповой. А ты скажешь мне, знакомы ли тебе эти люди. Хорошо?

— Хорошо.

Роза достала из сумочки несколько похожих снимков, разложила их перед подругой на столе.

На размытом цветном старом снимке было изображено семейство, расположившееся на отдых на берегу реки. Цветастые платья, шляпки, купальники, загорелые веселые лица.

— Ну да, конечно. Вот эта брюнетка в белой широкополой шляпе и платье в полоску — Клементина. Боже, какая же это была красивая женщина! Рядом с ней — Беньямин, ты знаешь — это Праунхайм, ее муж. А вот этот счастливый молодой человек, держащий в руках рыбину, — Иоахим, их сын, а эта девушка... Дай-ка я взгляну поближе. Думаю, это жена Иоахима — твоя теперешняя хозяйка — Софи. Одно лицо!

— Я тоже так думала, тем более что эта Софи, когда только приехала к нам сюда и позвонила в ворота, сразу же представилась женой Иоахима Фогеля, это так. Но документов-то я у нее никаких не спрашивала! Разве что потом, однажды, в банке, когда она отправляла деньги, я услышала, как она назвала свою фамилию — Фогель. Это фамилия Иоахима, как ты знаешь. Сестра Клементины ведь вышла замуж за русского немца по фамилии Фогель?

— Все правильно ты сделала. Почему ты должна была спрашивать документы у невестки Клементины? Ты же — простая служанка.

— Но прежде я ее никогда не видела... живьем... только на фотографии.

— А Иоахима видела? Когда ты в последний раз его видела?

— Иоахим — совсем другое дело... Он часто приезжал сюда на каникулы. Такой хороший мальчик! Надо сказать, он довольно-таки поздно женился на Соне, а перед этим пережил, по рассказам Клементины, настоящую любовную драму. Клементина рассказала мне, что он влюбился в одну девушку, которая не отвечала ему взаимностью, что он страдает, забросил свою учебу и сильно тоскует. Мы еще вместе с ней переживали. А потом... потом он написал нам, что женился на этой девушке. Или не на этой? Мы так и не поняли... Но главное, что он теперь счастлив. Но свою жену он к нам так и не привез. Не успел. Клементина умерла, и вот приехала Софи.

— Постой. А как же эти снимки?! Там нет даты?

— Даты нет. Но снимки, я так думаю, были сделаны в Москве, во время поездки Клементины с Праунхаймом.

— А Клементина не рассказывала тебе ничего о жене Иоахима? Как она ей, понравилась? А снимки эти не комментировала?

— Нет...

— Хорошо! Оставим эту тему. Ты мне лучше ответь на главный вопрос: почему же не приехал Иоахим? Ведь дом-то достался в наследство именно ему!

— Он приезжал, раньше. Правда, на похороны своей тетки он не успел — он был где-то очень далеко, в России, на каком-то симпозиуме или конференции. Но потом-то приехал, оформил документы на наследство и вернулся в Москву, у него там были какие-то важные дела.

— А как звали жену Иоахима?

— Понятия не имею! Вероятно, так и звали — Софи. Кстати говоря, не удивлюсь, если у нее немецкие корни, ведь она прекрасно владеет немецким.

— И что дальше?

— А дальше ты знаешь. Я впускаю ее в дом и позволяю командовать собой. И все бы так и продолжалось, если бы она не стала вытворять какие-то совершенно невообразимые вещи. А сегодня рано утром ко мне пришла Наташа, наша русская гостья, и мы с ней долго разговаривали. Вот уж где мне пригодился русский! Так вот, она утверждает, что мужа нашей Софи зовут вовсе и не Иоахим, а Эрвин!!! И что живет он в Берлине, и у него есть любовница! И что на этой почве Софи дурит, сходит с ума. Она разыскала ее, эту русскую, вызвала к себе, оплатила дорогу, а потом оказалось, что Наташа однофамилица ее подруги детства!

— И что?!

— Наконец-то я вижу, что ты заинтересовалась!

— Да я не то что заинтересовалась, я заинтригована! Значит, эта русская — не та, которая должна была приехать? И как же повела себя Софи?

— Наташа объяснила, что они обе сделали поначалу вид, что узнали друг друга, видимо, им обеим было так удобнее. Это уже потом, когда Софи начала сильно нервничать, посыпались взаимные упреки с обеих сторон.

— Но почему же они не прояснили ситуацию сразу, как только встретились?!

— Русская проделала большой путь. А Софи... Наташа говорит, что она очень одинока, и ее вполне не устраивает общество своей соотечественницы.

— Совершенно непонятная история! Очень много нестыковок, странностей. Роза, вот скажи: зачем тебе все это нужно? Распрощайся ты с этой Софи, получи расчет и переезжай ко мне! Или ты хочешь быть втянутой в криминальную историю? А вдруг, эта Софи — самозванка?!

— Думаю, я уже угодила в криминальную историю. Я же не рассказала тебе самого главного. Все то, что я поведала тебе сейчас, — это как бы предыстория. Садовник Уве, помнишь? Тот, которому ты приносила семена турецкой гвоздики? Он умер! По словам русской, Софи заморозила его, пьяного, в морозильной камере, а потом куда-то дела. Наташа тоже боится быть втянутой в эту историю.

— Роза!

— Но и это еще не все! Иоахим. Даже не знаю, как и сказать. Просто голова кругом идет! Сегодня приходил комиссар полиции. Софи, когда увидела его на мониторе охранной системы, попросила меня сказать ему, что ее нет дома, поднялась на чердак и спряталась!

— Комиссар?! И что ему было нужно?

— Что нужно? Я-то думала, что он станет искать садовника, но он пришел со скорбной вестью — Иоахим убит в Москве, в собственной квартире... его зарезали!

— О, господи, час от часу не легче! Какие у тебя мрачные новости, Роза! Иоахим. Какая жалость. И что?

— Комиссар спросил меня, кто сейчас живет в доме, поскольку в полиции известно, что фрау Клементина оставила завещание в пользу Иоахима.

— И что ты ответила?

— А что я могла ответить, если я теперь и сама уже ничего не понимаю?! Если бы я сказала, что в доме проживает его жена, он захотел бы ее увидеть, поговорить с ней. А вдруг это не его жена?! Ведь Наташа сказала, что мужа Софи зовут Эрвин! Катлин, я совсем запуталась... мне страшно!

— Так что ты сказала полицейскому?

— Я сказала, что я служанка, присматриваю за домом, и что после смерти фрау Клементины Иоахим приезжал сюда, принял наследство и должен был прислать сюда свою жену, и вот я жду ее.

— И что комиссар?

— Он выразил свои соболезнования и сказал, вернее, попросил меня, чтобы, как только в Мюнхене появится кто-нибудь из его родственников, я сообщила ему. Он мне оставил визитку. Катлин, я решила прийти в полицию, найти этого комиссара и рассказать ему о событиях последних дней. Мне нужно себя каким-то образом обезопасить! Как ты думаешь, я приняла правильное решение? Или же мне просто уволиться?

— Даже если ты уволишься, тебя потом найдут и будут допрашивать в качестве свидетеля. Тем более что в доме погиб человек. Если бы эта твоя Софи была ни при чем, если бы произошел несчастный случай, она непременно сама бы вызвала полицию или «Скорую помощь». Роза. Я же предупреждала тебя!

— Так что делать?

— Думаю, ты приняла правильное решение: надо идти в полицию. Кстати, ты сообщила Софи о смерти Иоахима?

— В том-то и дело, что нет. Я подумала: если бы она была законной женой Иоахима, ей бы сообщили о смерти мужа. Ведь должны быть у них в Москве друзья, родственники? А если она — самозванка, то, тем более, зачем провоцировать ее на... Словом, я испугалась и ничего ей не рассказала.

— Ты абсолютно правильно сделала! Подумай сама: ведь не на Луне же они жили, и в Москве их тоже окружали люди. Если бы Софи была настоящей женой Фогеля, неужели бы ей не позвонили и не сообщили? Так нет же! Первой об этом узнаешь ты!!!

— Мне страшно, Катлин.

— Ты никого не убивала, ты ни в чем не виновата. Так чего тебе бояться? Ты всего лишь служанка, Роза!

— Ты пойдешь со мной?

— Конечно. Но при одном условии.

— Для тебя это так важно?

— Важно. Не хочу, чтобы моя подруга мыла полы и посуду в доме, где ее не уважают! Вот будь жива Клементина...

24.

Мюнхен, октябрь 2008 г.

Герман привез меня к воротам, помог выйти из машины.

— Ничего не бойся. Вот тебе зарядное устройство, следи, чтобы твой телефон был всегда заряжен. И лучше, если Софи не увидит, что у тебя есть телефон. Если же ты по каким-то причинам не сможешь мне позвонить, я пойму, что аппарат у тебя отобран или пропал, исчез, потерялся.

— Герман. Думаю, мне надо бы взять кое-какие вещи, послушать, что скажет Софи, попрощаться с ней.

— И даже сейчас я не уверен, что тебе надо возвращаться.

— Да я бы и не возвратилась, если бы не чувствовала себя обязанной ей — из-за денег. Подумай сам: должна же существовать какая-то причина, ради которой Соня рассталась с такой крупной суммой? Я не верю, что она таким образом заплатила своей подруге за то, что та скрасит своим присутствием ее одиночество.

— Тогда тем более. Тебе не надо бы там появляться! Возможно, между Софи и той девушкой, за которую она тебя поначалу приняла, существуют определенные отношения. Может, кто-то кому-то должен. Возможно, та Наташа Вьюгина, вместо которой ты приехала, знает что-то из прошлой жизни Софи и шантажирует ее? Или, может, даже и не шантажирует, и вообще, не помнит о каком-нибудь постыдном эпизоде из ее жизни, который связан с ее теперешней жизнью. Но Софи из страха быть разоблаченной хочет избавиться от своей подружки детства. Вот и получится, что тебе придется расплачиваться за то, к чему ты совершенно непричастна.

— Но она же знает, что я — не та Наташа.

— Но если ты ей не нужна и сводить счеты она собиралась с той, другой Наташей, почему же она до сих пор держит тебя при себе?

— Из вежливости. А что она может сделать? Отправить меня обратно в Болгарию? Вот ты бы как поступил на ее месте?

— Я? Думаю, увидев, что ко мне приехал вовсе и не мой друг, я бы, конечно, поздоровался с этим человеком, извинился, что побеспокоил его. Да и этот человек бы сразу понял, что мы — совершенно чужие люди. Словом, я бы помог ему вернуться домой или же, если бы у меня не было каких-то серьезных собственных проблем, попытался бы проявить гостеприимство. Показал бы ему город, пообщался бы с ним. А если бы оказалось, что он симпатичен мне, то, быть может, я и подружился бы с ним. Но в любом случае я не стал бы отправлять ему пять тысяч евро! Это на самом деле немалая сумма, и именно этот факт меня настораживает.

— Ты все правильно говоришь. Но я хочу узнать, в чем же все-таки дело? Ведь она могла бы потребовать эти деньги, вернее, их часть, обратно.

— Возможно, ей неудобно или же...

— Или же для нее это не деньги? Или же ей действительно нужно что-то именно от меня? Ведь она навещала в Москве моих родителей! Купила зачем-то такой же кофейный аппарат, как и у них. Словно специально для того, чтобы я поверила: я — именно тот человек, которого она хотела видеть.

— Наташа, я посоветовал бы тебе не возвращаться туда. Тем более что документы твои при тебе. А багаж... ну какой там у тебя может быть багаж? Что-то стоящее?

— Герман...

— Я понимаю, есть что-то еще, о чем ты не хочешь говорить.

— Да, есть. Я влипла в историю, Герман. В криминальную историю! И Соня понимает, что я теперь связана с ней.

— У тебя уже и так слишком много историй.

— Я не виновата, что так складывается моя жизнь. Поверь мне, я виновата лишь в том, что вовремя не заявила в полицию.

— Ты знаешь что-то о Софи?

— Скоро этот дом будет оцеплен полицией, возле этих ворот будут стоять полицейские машины с мигалками.

— Наташа!

— Я помогла ей увезти из дома труп садовника, которого она заморозила в морозильной камере, — выдохнула я и замолчала. Вот и все. Теперь Герман все знает. Портрет русской девушки с криминальным прошлым получился на славу! — Теперь ты понимаешь, что я не могу просто исчезнуть? Она сразу же заявит в полицию, скажет, что все это сделала я!

— Но зачем ей все это?!

— Думаю, она, убив садовника, с которым у нее были какие-то отношения, решила сразу две свои проблемы: избавилась от трупа и привязала меня к себе.

— Но зачем ей привязывать тебя к себе?

— Вот за этим-то ответом я туда и иду. Как ты уже понял, тебе со мной небезопасно связываться. Я благодарна тебе, Герман, уже за то, что ты меня просто выслушал.

С этими словами я вошла в ворота и быстрым шагом направилась по аллее, ведущей к дому.

Соня встретила меня на крыльце. Она бросилась вперед, обняла меня.

— Ну, наконец-то! Кто этот человек, с которым ты так долго разговаривала у ворот?

Она выглядела взволнованной, а бледность ее казалась болезненной.

— Проходи. Как же я рада, что ты пришла! Послушай, сегодня в пять часов к нам приедет человек из министерства юстиции. Мой муж, Эрвин, хоть и порядочная свинья, но тем не менее решил помочь нам с тобой и подключил все свои связи. Помнишь, я говорила тебе о письме? Из министерства юстиции?

И тут я поймала себя на мысли, что желание узнать правду, связанную с моей поездкой сюда, приглушило во мне чувство самосохранения и что я должна была довериться Герману, но уж никак не Соне. Мне хотелось взять Соню за плечи, встряхнуть ее хорошенько и спросить: зачем ты меня сюда позвала? Что тебе от меня нужно? Кто ты, наконец, такая?!

Она говорила мне что-то о письме из министерства юстиции, которое было каким-то образом связано с моим нелегальным пребыванием здесь. Возможно, конечно, что это было некое нейтральное письмо, к примеру, ответы на вопросы, заданные Соней в связи с моим приездом, но без упоминания моего конкретного имени. Тогда еще все неплохо. А если она сразу же, с первых же дней моего пребывания в Мюнхене, подняла тревогу и сообщила властям, что в ее доме нелегально живет русская, сбежавшая из Болгарии? Тогда тем более мне нужен был мотив такого ее подлого поступка. Что ей нужно от меня?! И что изменится в ее жизни, если я, к примеру, сяду в тюрьму? У меня нет плана поиска спрятанных сокровищ тамплиеров или золота пиратов, у меня нет денег, у меня нет ничего, кроме желания как-то упорядочить свою жизнь, избавиться от всех своих страхов.

— Письмо из министерства юстиции? — Я улыбнулась ей одними губами. — Соня, а что, в министерстве юстиции уже знают, что у тебя в доме нелегально живет русская?

— Нет-нет, успокойся. Это письмо — ответ на мой запрос, связанный как бы с предстоящим приездом ко мне моей подруги из Болгарии.

По ее лицу было видно, что она лжет. Чем я могла ей отплатить за эту подлость? Разве что рассказать о том, что она убила своего садовника и заставила меня под дулом пистолета сопровождать ее в машине до стройки? И что она пыталась отравить Розу? Я была уверена, что Роза — после моего утреннего разговора с ней — будет на моей стороне. Конечно, я переусердствовала с подвешенным мешком, одетым в одежду Розы, но надо же было каким-то образом заставить Соню понять, что ее спектакли становятся нелепыми и смешными и каждый может здорово напугать — было бы желание! А то, что я ее испугала подвешенной «Розой», было очевидно. Первые минуты она действительно верила в то, что это Роза.

— Говорю же, в пять часов приедет человек из министерства юстиции, хороший друг Эрвина. И Эрвин тоже приедет. Он выступит в роли официального переводчика. Объяснит тебе суть положения, в котором ты оказалась, после чего нам надо будет оформить несколько простых документов, с помощью которых ты получишь немецкую визу.

Я заметила, что она не смотрит мне в глаза. Почему? Она смотрела куда угодно, только не на меня.

— Послушай меня, Соня! Давай спокойно обо всем поговорим. Тебе не кажется, что в наших отношениях, да и во всей ситуации в целом, слишком много неясного?

— Хорошо. Я не против. Может, сначала ты перекусишь?

— Нет, спасибо, я сыта. Меня накормили в гостях.

— Так кто этот мужчина, который тебя привез? — Она вся дергалась, крутила головой, как заведенная кукла. Ни секунды не стояла спокойно. И глаза ее бегали...

— Случайный знакомый из кафе. Мне было трудно заказать капусту по-немецки, он услышал мои попытки объяснить официантке, что мне нужно, и помог мне. Потом мы с ним разговорились. Обычное дело.

— Ты поосторожнее. Мало ли. Кто он такой?

Я не стала говорить, что он адвокат. Это было бы уже слишком. Оказаться в идиотской ситуации в чужой стране — и на второй день познакомиться с молодым симпатичным адвокатом? Нарочно не придумаешь!

— Кажется, он работает в компании BMW, инженером. — Я вспомнила, что, когда мы ездили на машине с Соней, проезжали мимо территории, занимаемой этой компанией. Судя по выражению Сониного лица, мой ответ ее удовлетворил. Подумаешь, какой-то там инженер из автомобильного концерна...

— Все равно, будь осторожной! А откуда он знает язык?

— Понятия не имею. Но говорит он неплохо, правда, с сильным акцентом...

— Ты ему ничего не рассказывала? — И тут она повернулась и посмотрела мне прямо в глаза. — Ты ничего не говорила ему об Уве?

— А зачем бы я стала постороннему человеку рассказывать о том, что живу в доме, где было совершено убийство?!

Я выдержала ее пронзительный взгляд.

Мы уже стояли в кухне, и Соня, услышав мои слова, чуть не уронила чашку на звонкий плиточный пол:

— Убийство?! Что ты называешь убийством?!

— Ты убила садовника по имени Уве, разве не так? А потом решила подставить меня. Вот я и маюсь вопросом: почему именно я? Неужели ради этого ты вызвала меня из Страхилицы и дала мне целую кучу денег? Думаю, настала пора мне все рассказать, Соня! И про настоящую Наташу Вьюгину, и про то, как ты сделала вид, будто ждала именно меня. Что вообще происходит?!

— Да ничего не происходит! А фантазия у тебя богатая, ничего не скажешь! И ты действительно думаешь, что это я убила Уве?! Да зачем мне было его убивать?!

— Понятия не имею! Может, он был свидетелем какого-то твоего поступка? Или приставал к тебе, а ты его ударила и случайно убила? Причин убийства может быть много. Но меня больше интересует даже не столько убийство твоего садовника, сколько то, зачем я здесь?

— Хорошо, я расскажу. Понимаю, я не могу взять с тебя слова, чтобы ты молчала...

— Заинтриговала, ничего не скажешь! Ответь мне прямо: ты хотела увидеть именно меня? Или же все-таки существует двойник Наташи Вьюгиной?

— Тебя. Конечно, тебя! Но что касается того, что ты была моей лучшей и самой близкой подругой детства — это я все придумала. А произошло все очень просто. Тогда, в Варне, когда ты, выпутавшись из истории с Тони, не пожелав оставаться с родителями и возвращаться с ними домой, сбежала, я и встретила твою маму. В аэропорту Варны. Она была, прямо скажем, никакая. Плакала так, что все на нее оборачивались, а у твоего отца уже не осталось слов утешения. Я выслушала рассказ твоей мамы о том, что тебе пришлось пережить, и после того, как мы с ней расстались, обменявшись адресами и телефонами, я представила себе, сколько же несчастий выпало на твою долю, как же тебе тяжело! А у меня в ту пору тоже была тяжелая полоса. Говорю же, с Эрвином у меня были проблемы, но тогда все это было гораздо острее, тяжелее. Так вот. Я вспомнила свою беседу с одним психиатром, который сказал мне: чтобы почувствовать себя более комфортно, достаточно найти такого человека, которому в сто раз тяжелее, и постараться помочь ему.

— И ты выбрала меня?! — Я не поверила своим ушам. — Меня-а?!

— Ну да! Твоя мама рассказала мне, насколько потрепала тебя жизнь — и в прямом и в переносном смысле слова. Что ты больна и нуждаешься в уходе. Что у тебя от перенесенного стресса выпали волосы, ты стала похожа на скелет. Я поклялась себе найти тебя и помочь. А заодно и воспользоваться твоим бедственным положением и приручить тебя, сделать своей подругой. Так случилось, что в моей жизни никогда не было близких подруг. Все, с кем я пыталась дружить, оказывались подлыми врушами, завистницами! Быть может, поэтому я общалась в большинстве с парнями.

— Но почему я?! Неужели в той среде, где ты жила, не было женщины, больше меня достойной жалости?

— Нет. Не знаю. Я не видела. Но ты буквально не выходила у меня из головы. Родители искали тебя, но тщетно. Я была по делам в Москве, заехала к твоей матери, мы долго разговаривали с ней, она снова плакала и сказала мне, что уже отчаялась тебя найти. Отец твой был сдержан в своих чувствах, и, как мне кажется, он глубоко сожалеет о том, что упрекал тебя деньгами. Если бы не это обстоятельство, ты бы давно уже была в Москве.

— Хорошо, пусть так. Но как ты нашла меня?

— Это не я тебя нашла, а профессиональный сыщик. Я заплатила ему, а он тебя разыскал. Оставалось только придумать предлог, чтобы ты приехала ко мне. Согласись, но жить с тобой в Страхилице и доить коз — не самая лучшая перспектива.

Анна Данилова

— Ну почему же? Зато ты увидела бы меня в естественной среде!

— Я захотела помочь тебе.

— Тогда почему же ты не приехала в Болгарию и не помогла мне разобраться с визой? С документами? Ведь мне пришлось добираться сюда весьма опасным путем.

Это была довольно-таки существенная нестыковка в ее рассказе. И она поняла это и на некоторое время замолчала.

— Но я не могла бы тебе помочь на территории другого государства. Я подумала, что раз уж ты — такая отчаянная и храбрая, то сама найдешь способ, как добраться до меня.

— Ладно, Соня, что сделано, то сделано. Вот я здесь. Что дальше? К чему было пугать меня этими куклами? Да еще и Розу втягивать в это дело? Ты же по-настоящему отравила ее!

Мне вдруг захотелось побыть одной. Все, что я услышала от Сони, попахивало сумасшедшинкой. Она была безумной, эта Соня! Зато теперь я более или менее понимала ход ее мыслей и, главное, причину, по которой она меня сюда пригласила. Значит, чтобы почувствовать себя более благополучной, чем я! Чтобы избавиться от депрессии и страхов. Чтобы не быть одинокой! Чтобы заполучить человека, более несчастного, чем она сама, и привязать его к себе любым путем, даже если для этого потребуется убить человека. Садовника, например.

Правильно говорит Герман — надо бежать отсюда, пока не поздно! А вдруг уже поздно?!

25.

Москва, октябрь 2008 г.

Елена Вьюгина сидела на диване в гостиной своей московской квартиры и вязала свитер.

Пряжа: голубая, мягкая, пушистая; петли: крупные, объемные. Вязание успокаивало ее, даже навевало дрему. В квартире было тепло и тихо, Константин лежал рядом, прикрывшись пледом, и смотрел телевизор. Они вот уже два дня тому назад вернулись из Болгарии.

— Кажется, что и не было никакой Страхилицы, и этих смешных и нежных коз, и симпатяги Тайсона. Что это кто-то другой, а не я доставала яйца из ящиков с соломой в курятнике. — Лена провязала еще несколько петель и повернула голову к мужу. — А ты? Ты-то что молчишь?

— А что я? Крышу я в доме починил, забор подправил, в курятнике переложил черепицу. Но ты права. Что-то в этой последней поездке есть сюрреалистическое, нереальное. Можно даже сказать, что нам все это приснилось. И знаешь, почему?

— Почему?

— Да потому, что слишком сильный получился контраст между нашей московской жизнью и той, «страхилицкой». Вот только Наташу мы так и не разыскали, вернулись без нее. И где ее искать теперь — ума не приложу! Можно было бы подключить милицию, я не знаю, или Интерпол. А вдруг она влипла в какую-нибудь очередную историю, и мы своими поисками ей только навредим? И такое может быть.

— Главное, что, когда она вернется в Страхилицу (а туда она не может не вернуться, потому что у нее там какое-никакое хозяйство, определенные обязательства перед людьми, которые за всем этим присматривают), Нуртен сразу же свяжется с нами. А она — женщина серьезная, на нее можно положиться. Я даже рада тому, что у Наташи такая хорошая знакомая.

Звонок раздался неожиданно, и Елена вздрогнула. Посмотрела на мужа.

— Кто бы это мог быть? Уже поздно. Ты кого-нибудь ждешь, Костя?

— Лена, ну кого я могу ждать?

— Мало ли. Что-то мне не по себе! Не люблю я поздних звонков, визитов...

— Я пойду, посмотрю.

Константин легко, по-мальчишески, поднялся с дивана, поправил рубашку, домашние штаны и пошел в прихожую. Подойдя к двери, заглянул в глазок и увидел незнакомых ему людей. Двое мужчин в темных плащах.

— Кто там?

— Прокуратура. Откройте, пожалуйста.

— Костя, кто там? — Встревоженным голосом крикнула из комнаты Елена.

Он открыл дверь. Подумал, что у работников прокуратуры, должно быть, особенное выражение лиц, и, глядя на этих людей, почему-то хочется спрятаться куда подальше, чтобы только не видеть эту печать разочарования, тоски и безысходности. Уж они-то знают, сколько на свете существует мерзости и безнаказанности!

— Вы — Константин Вьюгин?

— Да, это я. Что случилось?

— Вы позволите пройти? Ваша жена дома?

— Да.

Елена уже стояла в дверях с накинутой поверх халата шалью.

— Кто вы такие и что вам от нас нужно? — спросила она нервным фальцетом.

— Следователь прокуратуры Серов Валентин Петрович, — представился один из «черных плащей».

— Помощник следователя прокуратуры — Минкин Михаил Александрович, — сказал второй.

— Проходите, пожалуйста, — Константину было стыдно за свой страх перед этими людьми. Он почувствовал, что даже колени у него ослабли. Вот так же, подумалось ему, чувствуют себя люди, идущие на казнь. А ведь он даже не знал, что привело прокурорских работников к ним в столь поздний час. Хотя и догадывался — пришли они из-за Наташи...

Серов и Минкин прошли, сели за стол.

— Скажите, где ваша дочь? — спросил Серов.

— Она в отъезде, — поспешила ответить Елена. — Отдыхает в Болгарии...

— В такое время?

— Да. У нее там друзья. Она живет в одной деревне. Мы только что оттуда вернулись.

— И как называется эта деревня?

— Страхилица. Это под Шуменом, в восьмидесяти километрах от Варны.

— Но мы справлялись в российском консульстве в Варне — виза вашей дочери, Натальи Константиновны Вьюгиной, давно уже просрочена, и она не имеет права там находиться. Однако и из страны она тоже как будто не выезжала. И тем не менее она в России... в Москве.

— Как?! Наташа здесь?! — воскликнула Елена и стала оглядываться по сторонам, словно дочь могла находиться где-то совсем близко, в соседней комнате.

— Лена, успокойся, прошу тебя, — сухо одернул жену Константин. — Пожалуйста, говорите яснее! Разве вы не видите, как взволнована моя жена? Честно говоря, мы потеряли свою дочь. Поругались с ней еще два года тому назад, когда находились в Болгарии, в Варне, и она ушла от нас. Обиделась. Она у нас девочка гордая. Мы ищем ее уже два года. Вот, недавно снова ездили в Варну, добрались до Шумена, потому что один человек за деньги вычислил место, где бы она могла находиться. Моя жена уже сказала, это село называется Страхилица, недалеко от Шумена. Так получилось, что Наташе удалось купить там дом.

— Вы видели ее? — грубовато перебил Серов.

— В том-то и дело, что нет.

— Тогда вам надо проехать с нами.

— Куда? Зачем?!

— Кажется, нашлась ваша дочь. Правда, паспорта мы не обнаружили, но читательский билет на имя Натальи Вьюгиной был найден в кармане куртки потерпевшей. Возможно, конечно, это просто чудовищное совпадение. Скажите, какого цвета были волосы у вашей дочери?

— Трудно сказать, — не своим голосом, чувствуя что-то страшное, произнесла Елена. — Когда мы видели ее в последний раз, два года тому назад, у нее и волос-то почти не было. Она выглядела ужасно. Виной всему — ее нервное состояние. Понимаете, ей многое пришлось пережить. Костя, куда мы едем?

Константин как-то странно посмотрел на жену.

— Что с ней? — спросил он у следователя.

— Тело девушки нашли несколько дней тому назад, в подвале жилого дома неподалеку от Савеловского вокзала. — Следователь оказался человеком жестоким.

Вьюгин едва успел подхватить обмякшую, бесчувственную жену — Лена упала в обморок.

Из дверей здания морга вышла рыдавшая женщина, ее вел под руку высокий худой старик. Вьюгин, увидев эту сцену, представил себе самое худшее — труп дочери на холодном цинковом столе. Он помог выйти из машины находившейся в странном, сомнамбулическом состоянии Лене, подвел ее к двери, из которой только что вышла скорбная пара, и со словами «Господи, помоги» вошел в морг. Но потом, вдохнув трупный запах в коридоре, он передумал и вернул бесчувственную жену в машину: «Побудь пока здесь, вдруг это не она?»

То, что он увидел, было чудовищным, страшным. Да, это была девушка, возможно, одного возраста с Наташей, но это была, к огромному его облегчению, не Наташа! Тело пролежало довольно долго в подвале дома, поэтому следы разложения исказили, обезобразили его. Следователь сказал, что девушку зарезали приблизительно полтора месяца тому назад, еще в августе.

— Хорошо, что Лена не увидела... этого, — повторил он несколько раз после того, как они со следователем вышли из морга. — Хорошо, что я оставил ее в машине! Знаете ведь, как бывает — иногда видишь то, что ожидаешь или боишься увидеть. Вот и Лена могла бы вместо этой девушки увидеть Наташу! Да у нее бы сердце разорвалось! Господи, господи...

Вьюгин мелко и быстро закрестился.

Он видел, как озадачен следователь тем, что обнаруженный в подвале дома труп девушки не имеет ничего общего с семьей Вьюгиных.

— Значит, это другая Наталья Вьюгина, — сказал едва ли не извиняющимся тоном Константин. — Это не наша дочь. И я ужасно рад. Да это и не могла быть она, хотя бы потому, что, когда убивали эту несчастную девушку, наша Наташа была, говорю же, в Страхилице! Мы разговаривали с ее соседями. Она несколько дней тому назад, как уехала в Германию...

— В Германию? Позвольте, но как же она могла отправиться в Германию, если у нее просрочена болгарская виза?

— Не знаю. Я ничего не знаю, кроме главного — там, на столе, лежит не наша дочь!

И Вьюгин разрыдался.

Они вернулись домой. Елена, немного успокоившись, напилась таблеток и прилегла.

— Костя, посиди со мной, — попросила она. — Вот знаю, что это не она, да и ты все видел, но почему же у меня так сердце болит?

— Да потому, что это вполне могла быть и наша дочь. Что за лягушка-путешественница?! И куда ее вечно несет?! Что дала ей эта свобода? Она чуть не лишилась жизни! Не знаю. Другая девчонка на ее месте одумалась бы, засела бы за учебники, взялась за ум, начала новую жизнь. А наша променяла своих родителей, московскую квартиру и перспективу на какую-то там болгарскую деревню!

Когда в дверь снова позвонили, вздрогнули оба.

— Думаю, на этот раз соседка пришла за солью или за спичками, честное слово, — с чувством произнес Вьюгин. — Во всяком случае, это не из прокуратуры. А это уже хорошо! Не может же в один вечер случиться два визита товарищей в погонах?

— Да это, наверное, Анна Петровна. Она хотела у меня денег занять. Пойди, Костя, открой. У меня что-то сил совсем нет...

Вьюгин бодрым шагом дошел до двери. Заглянув в глазок, он отшатнулся. Нет, это были не Серов и Минкин. Это были другие люди, но с точно такими же каменными лицами!

— Кто там? — спросил упавшим голосом Вьюгин.

— Из прокуратуры, — за толстым стеклом появилась расплывчатая ксива.

Константин открыл.

— Константин Вьюгин? — спросил человек с прозрачными, какими-то неживыми глазами.

— Да, это я.

— Ваша дочь дома?

— Нет.

— Может, позволите пройти? Вы же понимаете, что мы пришли к вам так поздно не для того, чтобы пожелать вам спокойной ночи...

Вьюгин хотел крикнуть: «Оставьте нас в покое!!! Кто позволил вам так разговаривать со мной?!» Но вместо этого он пригласил незваных гостей в кухню. Ему хотелось, конечно, чтобы Лена ничего не слышала и не знала, чтобы она вообще уже спала, но она появилась в гостиной как раз в тот момент, когда двое мужчин уселись за столом — совсем как недавно — Серов и Минкин.

— Костя, кто эти люди? Когда нас оставят в покое?! — Лицо ее мгновенно побелело.

— Мы пришли поговорить с вами о вашей дочери — Наталье Вьюгиной.

— Которой: мертвой или живой?

Мужчины переглянулись.

— Какие странные шутки у вас. Ответьте на такой вопрос: у вас есть дочь по имени Наталья Вьюгина?

— Да, конечно, есть.

— Она замужем?

— Нет. А что?

— Вы что же это, не знаете, замужем ваша дочь или нет? — проговорил один мужчина, тот, что повыше ростом, с серым лицом. Второй, как Санчо Панса, маленький, смотрел на старшего преданными глазами и молчал.

— Костя. Мы должны рассказать им. В этом нет ничего дурного! Да, наша дочь была замужем, но крайне неудачно. Но в консульстве нам сказали, что этот брак считается все же неофициальным, несмотря на то что была свадьба...

— А по нашим сведениям, свадьбы-то как раз и не было, а вот брак — самый что ни на есть официальный.

— Послушайте. Это уже слишком! Несколько часов тому назад у нас уже были ваши коллеги из прокуратуры — Серов и Минкин! Так вот, они приехали, чтобы сказать нам, что нашли труп нашей дочери! Нас даже отвезли на опознание, и выяснилось, что, к счастью, погибшая не приходится нам дочерью. Не успели мы прийти в себя после такого потрясения, как заявляетесь вы и сообщаете нам, что наша дочь, оказывается, была официально замужем, и...

— ...и что ваш зять — мертв, — развел руками старший. — Поэтому нам хотелось бы выяснить: где же все-таки находится ваша дочь?

26.

Мюнхен, октябрь 2008 г.

Я поднялась в свою комнату и принялась собирать вещи. Понятно же было, что все выяснилось, и теперь меня в этом доме уже ничего не держит. Когда постучали в дверь, я даже не отреагировала. Знала, что это Соня, больше некому.

— Наташа!

Я повернулась. Так и есть.

— Ты собираешься. Но почему?! Я же так старалась! В пять часов должен приехать Эрвин со своим знакомым. У них документ, который позволит тебе спокойно пожить здесь, в Германии! Ты прости меня, что я вела себя, как самая настоящая идиотка. Но мне действительно надо было найти какой-то способ, чтобы оставить тебя здесь, сначала на время, а потом уже, когда мы подружимся, — навсегда.

— Навсегда? Но зачем я тебе?

— Понимаешь, ты — оттуда. Из России. Ты — своя. Все, кто живет здесь, сделаны из другого теста. Мы бы нашли с тобой общий язык. Я бы помогла тебе с учебой, с работой. Ты бы начала новую жизнь. Согласись, это все же лучше, чем доить коз в Страхилице!

— Может, все так и получилось бы, если бы не твои дурацкие розыгрыши и страшилки. А потом еще и труп садовника!

— Я не знаю, как убедить тебя в том, что я его не убивала, что он сам напился и перепутал двери! Ну, подумай сама, зачем мне было замораживать человека? Какой в этом смысл?

— В твоих поступках уже давно нет никакого смысла. Думаю, поэтому-то твой муж, Эрвин, и сбежал от тебя.

— Ты хочешь причинить мне боль?

— Нет, просто я хочу, чтобы ты поняла — я тебе ничем не обязана. И те деньги, которые ты выслала мне, я уже сполна отработала. Думаю, это ты теперь должна мне деньги за то, что я помогла тебе с этим садовником! Ты думала, что таким образом привязала меня к себе, но ты просчиталась — теперь мне хочется как можно скорее покинуть этот дом.

— Не спеши! Получи хотя бы документ, позволяющий тебе остаться здесь, в Мюнхене! Мало ли что может случиться? Да, я случайно втянула тебя в дело с Уве, но и ты пойми меня: мне не хотелось сложностей с полицией. Начнут копать.... — Она замотала головой, как человек, случайно проговорившийся. —...В смысле начнут расследовать. Понимаешь, у меня с ним была связь. Так все глупо вышло. Думаю, что и Роза знала об этом. Ну не может человек, живущий в этом же доме, ничего не замечать! Да подожди ты собираться!

Она подошла ко мне и мягко взяла за руки, усадила на стул.

— Послушай меня. Я богата. Подумай хорошенько, подожди отказываться. Я понимаю, ты познакомилась с мужчиной, вероятно, он тебе понравился и кажется тебе более надежным вариантом, чем я. Но что ты о нем знаешь? Вероятно, он тоже пообещал тебе кое-что, раз ты так решительно настроена. А вдруг он как раз из службы миграции? Ты не подумала об этом? А может, ему просто надо продвинуться по службе, а тут такое чрезвычайное происшествие — в добропорядочной Германии нелегально поселилась русская бомжиха из Болгарии!

— Но я не бомжиха! — возмутилась я. — У меня там есть свой дом!

— Об этом знаем только ты и я. Что же касается людей, занимающихся миграционными проблемами, то ты для них — персона нон грата. Сначала ты связалась с преступными элементами, попросту говоря, с цыганами, возможно, участвовала вместе со своим женихом в их криминальном бизнесе, связанном с продажей людей на органы. Потом, как ты говоришь, твоего жениха убили. Согласись, что просто так людей не убивают! Значит, было за что. Извини, что я разговариваю с тобой так прямо и кажусь жестокой, но я стараюсь увидеть твою ситуацию глазами сотрудников миграционной полиции. Потом ты сбегаешь от родителей, как раз в такой момент, когда тебе надо было просто ухватиться за эту возможность и вернуться домой, в благословенную Москву. Нет, ты сбегаешь, покупаешь себе домишко в микроскопической болгарской деревне. «Почему?» — спросят тебя. Что ты там забыла? Подумаешь, папа твой упрекал бы тебя за растраченные деньги! Ерунда какая-то! Это все — несерьезно! Когда-нибудь эти упреки все равно иссякли бы, и ваши отношения приобрели бы более близкий, родственный характер. Ведь ты — их дочь, они любят тебя! Пойдем в кухню, я приготовлю кофе. Не могу так долго без кофе...

Я слушала ее, понимала, что какой-то процент правды в том, что она говорит, содержится, особенно в той части, где она упоминала о миграционной полиции. Но чтобы Герман представлял собою эту миграционную полицию — это было уже слишком. Все объяснялось просто — ей не хотелось, чтобы у меня, помимо нее, появился покровитель. Тем более, мужчина, да еще и немец! Она не знала еще о том, что он — адвокат!

Понимая, что очень скоро мы с Соней расстанемся, и испытывая к ней чувство, похожее на жалость, я согласилась составить ей компанию и выпить кофе. В сущности, и говорить-то с ней было уже бесполезно — я приняла решение довериться Герману.

— Знаешь, Наташа, а ведь ты — верх легкомыслия. Сначала Тони, потом — бегство от родителей, и вот теперь ты тут, у меня. Тебе не страшно вот так... порхать с места на место?

— Страшно, но тебя это уже не касается. Ты заманила меня сюда неизвестно для чего, а теперь еще и издеваешься?!

— Тебе с молоком или черный?

— Да какая разница? — Мне и в самом деле было все равно, какой кофе пить.

— Может, я тебя и заманила, но ты-то приехала! На что ты надеялась?

Я отпила несколько глотков кофе.

— Честно? — Я вдруг решилась сказать ей всю правду. — Подумала: может, есть на свете человек, который поможет мне начать новую жизнь. В знак благодарности за то, что я, рискуя, без документов, пересекла столько границ. Ведь ты же понимала, что только человек, оказавшийся в отчаянном положении, способен на такой шаг!

Меня вдруг потянуло в сон, и чувство это было таким сладким, блаженным, что я, забыв обо всем на свете, крепко уснула.

Очнулась я от звуков незнакомого мужского голоса. Открыла глаза и поняла, что я лежу в гостиной на диване, и кто-то заботливой рукой укрыл меня пледом. За столом сидел худой высокий господин средних лет, в сером костюме и голубой рубашке с синим галстуком. Лицо его было бесстрастно, как у человека, которого оторвали от важных дел и пригласили — за деньги — неизвестно зачем в этот дом. Он терпел это положение, как мне стало потом ясно, исключительно из профессионального интереса. Мне назвали его имя, но я его не запомнила. Вскоре появился и другой мужчина, помоложе, в джинсах и свитере.

— Это мой муж, Эрвин, — представила мне его Соня. Она за то время, что я спала, преобразилась. На ней был безукоризненный темный костюм и белая блузка с кружевами. — Как я тебе и обещала, Наташа, мы с Эрвином сделаем все возможное, чтобы решить проблему с твоим пребыванием в Германии. Вот этот господин привез документы, которые тебе следует подписать. Он будет зачитывать тебе его по-немецки, а Эрвин, на правах профессионального переводчика (к счастью, у него есть право оказывать подобные услуги), переведет тебе все.

— Что за документ-то? — Я потерла лоб.

— Мы обязуемся положить на твой счет в банке две тысячи евро, и ты получишь документ, разрешающий тебе оставаться в Мюнхене целый год. Думаю, за это время мы подыщем тебе работу и, если ты только пожелаешь, квартиру, после чего фирма, которая возьмет тебя на работу, заключит с тобой контракт, и, таким образом, у тебя будет уже рабочая виза.

Господин из миграционной службы открыл черную кожаную папку и скучным монотонным тоном принялся зачитывать текст. Время от времени он делал паузу, во время которой Эрвин, муж Сони, на довольно-таки сносном русском языке переводил мне какие-то хитроумные фразы, связанные с моим пребыванием в городе Мюнхене. Слушая его, я вдруг поняла, что совершенно ничего не теряю, соглашаясь в очередной раз принять от этой семьи волшебные евро. Я даже мысленно была согласна с тем, что время от времени буду навещать полоумную Соню и пить с ней чай. Что же будет со мной потом — время покажет.

Я откровенно зевала, слушая господина из миграционной службы, не понимая: как можно так сложно составлять простые, по сути, документы?

Закончив читать, он улыбнулся, показав тонкие длинные белые зубы, и показал мне место, где я должна расписаться.

— Я распишусь завтра, — сказала я, чтобы немного позлить Соню. — Не думаю, что жизнь моя каким-то образом изменится в худшую сторону, если я позволю себе не торопиться и хорошенько обдумать ситуацию. А вдруг мне захочется вернуться домой, в Страхилицу? Знаете, какие у меня там козы? А Тайсон? У меня замечательная собака!

При упоминании о Тайсоне мне на самом деле стало необычайно тоскливо. И так захотелось увидеть его мордаху, похлопать его по загривку, посмотреть в его умные преданные глаза...

Соня смотрела на меня широко раскрытыми глазами и была похожа на рыбу, которую выбросили на берег. Ей словно не хватало воздуха. Она действительно не могла понять: как это я могу так по-свински отнестись к тому, что люди решают за меня мои же проблемы, а я еще и капризничаю?

На самом деле я просто хотела посоветоваться с Германом.

— Наташа, ты, наверное, шутишь, — наконец, произнесла моя благодетельница, явно склонная к истерике. — Мы к тебе со всей душой. Ты что, действительно намерена вернуться в Болгарию?!

— Думаю, нет. Но мне хотелось бы знать, какую работу мне здесь могут предложить? Дело в том, что я не собираюсь быть ни официанткой, ни уборщицей.

Я говорила дежурные вещи, понимая, однако, что начинаю не на шутку раздражать Соню. Мужчины, которых она как бы наняла исключительно для того, чтобы помочь ей оставить меня при себе, причем легально, смотрели на меня с нескрываемым удивлением. Особенно тот, второй, которому хорошо, видимо, заплатили за бумагу, подготовленную им специально для меня...

— Соня, ты можешь отпустить всех этих мужчин по домам, работу они свою выполнили, теперь, как я понимаю, дело за мной? А я откладываю подписание этого сложного для моего восприятия документа на завтра. Это мое право, не так ли? Если же ты сейчас будешь на меня давить, я подумаю, что и в дальнейшем, даже при условии, что я соглашусь жить с тобой в качестве компаньонки, ты будешь оказывать на меня давление, лишая меня права выбора и относительной свободы. Хотя почему относительной? Просто свободы!

Соня шарахнулась от меня, словно одним своим присутствием она могла лишить меня это самой свободы, как бы освобождая вокруг меня пространство.

— Да, ты, конечно, права. Тебе надо подумать. Хотя я, честно говоря, не понимаю, о чем тут думать, когда жизнь предлагает тебе такой шанс. Разве ты не для этого приехала сюда?!

Я не знала, как объяснить ей, как признаться в том, что я не верю ей и не понимаю по-прежнему, для чего я ей нужна? И что она подразумевает под словом «одиночество»? Какое одиночество может быть у молодой симпатичной женщины, живущей в столь красивом дорогом доме, да еще к тому же и богатой? Ей совершенно ничего не стоит нанять себе в прислуги кого угодно — даже молодого парня, который будет развлекать ее с утра до ночи. Но почему я?! Ее объяснения по поводу того, что она могла бы почувствовать себя здоровой и счастливой на фоне моей ущербной жизни, не казались мне убедительными.

Соня сказала что-то по-немецки мужчинам, и они, ответив ей, удалились. Конечно, она пошла их проводить — Розы-то не было! А я, подхватив папку с документами, бросилась в свою комнату. Прав был Герман, мне не следовало возвращаться в этот дом, тем более, за вещами! Вещи-то — одно название.

Запершись в своей комнате, я достала из папки документ, предложенный мне Соней на подпись, сунула его под майку и принялась быстро собирать сумку. Потом позвонила Герману:

— Ты где? Прошло так много времени! Я уже два часа дожидаюсь тебя возле ваших ворот. Нет-нет, меня не видно, я спрятался между деревьями.

— Они предлагают подписать мне один документ.

— Ничего не подписывай! И никому не давай паспорт! Ни в коем случае! Не знаю, что в голове у этой своей Софи, но все, что она делает — крайне подозрительно. Так. Стой. К воротам движется полицейская машина! Эти двое, вышедшие из дома, уже успели уехать. Наташа, думаю, уже поздно! Слышишь? Они сигналят! Я вижу, как из дома вышла женщина...

— Соня, — похолодев, сказала я. — Может, мне спрятаться?

— Нет, ты ничего уже не успеешь сделать. И твоя попытка сбежать может лишь навредить тебе. Оставайся на месте, а вот я попробую договориться с инспектором. Я знаком с ним. Постараюсь войти вместе с ними и, если потребуется, предложу свои услуги переводчика!

— Так ты, думаешь, они пришли по мою душу?!

Я все еще никак не могла взять в толк: чем я, ничем не примечательная девушка по мени Наташа Вьюгина, могла заинтересовать стольких людей? Даже полицию!

— Ничего не бойся. Я постараюсь тебе помочь.

Он отключил телефон, и я почувствовала, что осталась совершенно одна. В сущности, в последние годы это было моим нормальным состоянием. Одна, везде и всегда одна. Но в Страхилице это было все-таки не так страшно. Здесь же, когда Соня сделала все, чтобы втянуть меня в дикую историю со смертью садовника, мне стало по-настоящему страшно.

Внизу послышался какой-то шум, зазвучали голоса. Я посчитала, что мне не стоит и дальше скрываться от полиции. Под майкой у меня был документ, который я могла подписать в любую минуту, и тогда положение мое в этой стране автоматически легализировалось бы.

Я спустилась, и первым человеком, кого я увидела, был Герман. Он стоял поодаль от двух полицейских и человека в кремовом плаще «а-ля Коломбо». Понятное дело, они говорили по-немецки, причем обращались к бледной, как бумага, Соне. Герман услышал мои шаги, повернулся и успел мне ободряюще подмигнуть. Я слегка кивнула ему. Подумала почему-то: как полезно иногда заказывать в ресторане капусту! Если бы не этот случай, я не познакомилась бы с Германом.

После того, как Герман произнес несколько фраз обо мне (прозвучало мои имя и слово, похожее на «русс»), человек в плаще, вероятно инспектор, взглянул на меня с любопытством.

— Инспектор Крулль спрашивает у Софи, когда она в последний раз видела своего садовника, Уве Шолля, — перевел Герман.

— И что она отвечает? — Я вся напряглась.

И тут я поймала взгляд Сони. Она словно умоляла меня молчать. Хотя можно было и не умолять...

— Она говорит, что видела его в последний раз несколько дней тому назад, в домике для садовника — он спал мертвецким сном. Ты можешь это подтвердить?

— Могу. Он пил, Соня сказала мне — она ужасно сожалеет о том, что приняла его на работу. Что он не выполняет своих обязанностей и создается такое впечатление, будто он просто нашел теплое место с ночлегом и бесплатной кормежкой. — Я подошла к ответу творчески.

Потом инспектор говорил довольно долго, отчего лицо Сони то и дело меняло выражение. Когда он закончил говорить, она смотрела на меня уже с выражением смертельного ужаса на лице.

— Что случилось, Герман? Что он такого ей сказал? — Мы с Германом стояли чуть поодаль от Сони, и я очень надеялась: то, что он переводит мне, до Сони все-таки не долетает.

— Он сказал, что у него имеются сведения, полученные от непосредственного свидетеля, который... которая утверждает, что садовник замерз в морозильной камере. И что узнала она об этом от

тебя, Наташа, — приглушенным голосом переводил Герман.

Я почувствовала, что краснею. Конечно, речь
шла о Розе, и именно она была той свидетельни-
цей, о которой шла речь, больше не о ком было так
сказать. Значит, Роза прямиком отсюда отправилась в полицию. Что ж, она, вероятно, правильно
поступила, обезопасив себя. К чему ей все эти са-
довники, трупы и куклы на чердаке, если она может спокойно уволиться и забыть об этом кошма-
ре? У нее-то все документы в порядке, не то что у
некоторых! Вот только я оказалась плохим психо-
логом, раз не просчитала заранее этот ее поступок.
Я рассказала ей о замерзшем садовнике исключительно для того, чтобы она испугалась и ушла из
этого дома, не подвергала бы себя дальнейшему
риску. Ушла — и все. Без последствий. Я и предположить не могла, что в ней проснется гражданская
совесть и она отправится в полицию — закладывать Соню (а может, и меня?). Вот и делай после
этого людям добро!

Неожиданно Соня направилась ко мне. Выражение лица свидетельствовало о ее сильнейшем
волнении. Она шла мне навстречу так, словно вокруг нас не было ни единой души, только она и
я. Приблизившись ко мне, она произнесла с чувством, так, словно от этих ее слов зависела вся моя
дальнейшая судьба:

— Еще не поздно подписать те документы, которые находятся у тебя. — Она не сводила с меня немигающих глаз. — Ты поняла меня?! Они расспрашивают меня об Уве, но я не знаю, где он. И о той информации, что касается его исчезновения, мне тоже ничего не известно.

Она явно предупреждала меня этими словами:
— Подпиши все документы, и визит полицейских не будет иметь к тебе никакого отношения;
— Молчи об Уве, и визит полицейских не будет иметь к тебе никакого отношения;
— Не будь дурой, и визит полицейских не будет иметь к тебе никакого отношения.

Я поняла все то, о чем она хотела меня предупредить, но и доставать из-под майки документы и подписывать их прямо на глазах у присутствующих казалось мне так же нелепо. Ведь если эти документы действительно могут помочь мне упрочить свое положение в этой стране, то какая разница, когда я их подпишу — сейчас или, скажем, через полчаса, когда полицейские удалятся? Другое дело, что они могут потребовать дать им мои документы!

Комиссар окликнул Соню, она резко повернулась и пошла на прежнее место, где стояла, чтобы продолжить отвечать на его многочисленные вопросы.

Ситуация была идиотской. Я еще подумала тогда, что, если бы не было — вообще! — Уве, этого садовника, то и о полицейского тоже не было бы. Не стала бы Роза рассказывать в полиции о макете и проявлениях безумства своей хозяйки. А то все крутится как раз вокруг этого Уве, этого пьяницы, которого мы благополучно, как мне казалось, похоронили на дне котлована.

Я посмотрела на Германа. Он, в свою очередь, не сводил озабоченного взгляда с Сони. Он-то, в отличие от меня, понимал, о чем идет речь!

Склонившись ко мне, но по-прежнему продолжая следить за Соней, он спросил меня вполголоса:

— Она говорит, что ты — ее близкая подруга, проживаешь в Болгарии. Она говорит о тебе очень хорошо, как ни странно.

— А они не спрашивают у нее, есть ли у меня виз...

— Тс... — оборвал он меня, сверкнув глазами. — Думаю, сейчас этот вопрос интересует их меньше всего. Ваша служанка, Роза, считает, что Софи убила садовника. Это серьезно! Они говорят о том, что скоро приедут эксперты, чтобы осмотреть дом и морозильную камеру. Наташа, приготовься, сейчас вопросы начнут задавать тебе!

На мой допрос ушло совсем немного времени. Герман переводил вопросы, я отвечала, и он переводил мои ответы уставшему, засыпавшему на ходу комиссару Круллю.

— Давно ли вы гостите у фрау Бехер?

— Видели ли вы в доме садовника по имени Уве?

— Знаете ли, в каких отношениях фрау Бехер была с господином Уве Шоллем?

— Видели ли вы, кто и когда передавал семена цветов господину Уве Шоллю?

Понятное дело, я ничего не знала, не видела, разве что какого-то парня в синем комбинезоне с бутылкой виски в руке. Я чувствовала на себе благодарный взгляд Сони. И в который уже раз мне казалось: все, что со мной сейчас происходит, — нереально. И я не понимала, как могло случиться, что я во второй раз в своей жизни так по-крупному влипла в криминальную историю?

Еще мне казалось, что Соня бросает на меня какие-то странные взгляды. То ли с жалостью, то ли с сожалением смотрит на меня. Но то, что голова ее по каким-то причинам дала сбой, чувствовалось во всем. Ну не было логики в ее поведении, не было — и все тут!

Как ни странно, но комиссар и полицейские, дождавшись прибытия экспертов, уехали. Предполагалось, что они еще вернутся.

После того, как Соня, проводив их, вернулась в дом, она набросилась на Германа, стала по-немецки бросать ему в лицо какие-то явно неприятные реплики.

— Соня, ты почему кричишь на моего гостя?!

— Просто объясняю ему, что это — мой дом и ему здесь делать нечего! И что ты, Наташа, не из тех девушек, которыми можно попользоваться и выбросить!

— Ты что, с ума сошла?!

— Я должна с тобой поговорить, а этот тип мне мешает! У нас с тобой проблемы, Наташа, и я не желаю, чтобы какой-то проходимец вмешивался в наши дела. Я должна срочно, слышишь, срочно с тобой поговорить!

— Я уйду только тогда, когда Наташа сама это мне скажет, — сказал невозмутимый Герман. — И, пожалуйста, не вмешивайте ее в свою историю с исчезновением садовника. Вы же прекрасно знаете, какое у нее положение. И просто удивительно, что комиссар не заинтересовался ее документами. Вероятно, его больше всего занимала ваша личность, фрау Бехер!

— Я прошу вас удалиться, — сузив глаза, произнесла Соня, и я вдруг поняла, что наши отношения вступают в новую фазу. Что она теперь, когда у меня совершенно неожиданно появился защитник в лице Германа, перестала видеть во мне жертву. Того человека, на жизненном фоне которого она чувствовала себя более комфортно и уверенно. Наоборот, это она на моем фоне теперь превращалась в убогое безумное существо.

— Соня, прошу тебя, не надо так. Герман, конечно же, уйдет... но — чуть позже. А ты успокойся, возьми себя в руки. Я понимаю, ты не хочешь оставаться одна. Вот и постарайся вести себя так, чтобы я сама захотела остаться жить в твоем доме. Не пугай меня.

— Хорошо, я пойду. Фрау Бехер сильно взволнована. А ты, Наташа, проводи меня, пожалуйста, до ворот. Заодно и прогуляемся немного, подышим свежим воздухом.

Соня смотрела нам вслед. Я спиной чувствовала этот тяжелый, опасный взгляд...

Мы вышли из дома.

— А теперь слушай меня внимательно! Сейчас мы доходим до моей машины, ты усаживаешься в нее, и мы уезжаем. Надеюсь, паспорт при тебе?

— Да.

— Давай его сюда. Еще есть какие-нибудь документы?

— Да. Вот, кстати, почитай. Соня привела сегодня человека из миграционной полиции.

Он взял, не глядя, спрятанный мною документ и положил его в карман:

— Так будет надежнее.

— А как же Соня?

— Ты не заметила, что комиссар не спросил у нее документов, как и у тебя?

— Да. Ну и что? Это же отлично!

— Может, и так. Да только так мог поступить лишь человек, который знает ее в лицо. — У Германа был вид человека, мучительно вспоминавшего что-то важное, но упрямо ускользавшее от него.

— Ну и что? Она ведь живет здесь.

— Ее фамилия — Бехер?

— Ну да...

— Понимаешь, Наташа, что-то здесь не так! Но вот что именно, я пока не знаю. В поступках этой женщины я не улавливаю логики, но и безумной я ее назвать почему-то не могу. У нее явно что-то на уме. И дело не в садовнике!

— А в ком же?!

— В тебе!

Мы уже стояли у ворот, когда услышали визг тормозов — рядом с нами притормозила машина, за рулем которой сидела Соня.

— Прошу тебя, не уезжай. Умоляю тебя. — Соня выбежала из машины и бросилась ко мне.

Я ровным счетом ничего не понимала. И тут она заговорила!

— Прошу тебя, останься, я тебе все объясню. Это я, я, понимаешь, познакомила тебя с Тони! Я! Потому что я — твоя родная сестра, понимаешь?! Сестра, о которой наш отец никогда не заботился! Ты — его любимая дочь! Неужели тебе не пришло это в голову?! Мы с Тони действовали заодно.

Я наняла его, чтобы ты влипла в дерьмо по самые уши! Это я вызвала тебя в Болгарию. Я — причина всех твоих несчастий! Отец нас с мамой бросил, когда я была еще совсем маленькой. Мама давно умерла, я воспитывалась в детском доме. Вот такая мелодрама! Но потом, когда я поняла, что ты ни при чем... Словом, я решила искупить свою вину. Прости меня, если сможешь...

— А Тони?! Он что, жив?! — У меня глаза на лоб полезли от услышанного.

— Да! Я сказала ему, чтобы он дал тебе денег, чтобы ты не пропала окончательно... Я уже понимала, что ты не вернешься в Москву. У тебя — характер! Я следила за тобой. Эрвин, мой муж, помогал мне. Прошу тебя, скажи своему другу, чтобы он оставил нас, я должна многое тебе рассказать...

Услышав о том, что мой Тони жив, я захотела услышать и узнать все остальное. И Герман не должен был присутствовать при этом.

— Я остаюсь, — сказала я, разглядывая Соню, словно передо мной стоял... Тони. — Герман, я тебе позвоню.

— Наташа! — Герман схватил меня за руку.

Но я вырвала ее, подошла к Соне близко-близко и посмотрела ей в глаза.

— Я остаюсь, — сказала я твердо, не глядя на Германа, но обращаясь, конечно же, к нему. — Пойдем, Соня.

27.

Мюнхен, октябрь 2008 г.

Я тихонько поскуливала на диване в гостиной, а Соня все рассказывала и рассказывала о том, как она познакомилась с Тони, как наняла его специально для того, чтобы он влюбил меня в себя. Слушать все это было настолько тяжело, что я ощутила даже физическую боль — у меня заболела голова, а потом заныло и все тело.

— Все. Хватит. Я больше не могу! Что было, то было. Ты говоришь, что специально пригласила меня, чтобы попросить у меня прощения? Чтобы покаяться? Так вот. Я тебя не прощу! Никогда! И знаешь почему? Да потому, что я любила Тони, а ты убила мою любовь, понимаешь?! И это значит, что любви вовсе и нет! Мои родители тоже думали, что они любят меня, а когда я попала в историю, не смогли удержаться от упреков и вместо того, чтобы воспринимать меня как жертву, выставили жертвой себя. Тони, получается, тоже никогда не любил меня, а лишь разыгрывал передо мной влюбленного парня, причем за деньги! И опустил меня на самое дно, чуть не погубил меня, едва не уничтожил — и тоже за деньги. И ты, получается, моя сестра? Ты тоже никогда не любила меня! Больше того, ты ненавидела меня за то, что я вообще есть на свете и что наш отец любит меня, а не тебя. А тебя он просто забыл! Вот и получается, что меня любил только один человек. Очень любил, а я никогда не обращала на него внимания. Некрасивый полноватый мальчик с восторженным взглядом, очень нежный. Вот если бы я осталась с ним, поверила бы в него и постаралась взглянуть на него не просто как на скучного «ботаника», а как на мужчину, я была бы сейчас счастлива! А ведь он был симпатичным...

Соня с опухшим от слез лицом сидела передо мной и икала. Думаю, что и слова-то у нее иссякли. Все, что хотела, она мне уже рассказала.

— А зачем ты садовника убила? — вдруг вспомнила я пьяницу Уве.

— Он сам замерз, — произнесла, не разжимая челюстей, Соня, словно не Уве, а она сама замерзла в морозильной камере. — У меня от нервов рот не разжимается...

— Знаешь, а ведь я не хочу тебя больше видеть. Никогда. И решения своего я не изменю!

— Да, я так и думала, — вздохнула с нервным всхлипом Соня. — Так мне и надо. Но я виновата перед тобой, и позволь мне перед тем, как мы расстанемся, все же помочь тебе. Подпиши эти несчастные документы, оставь их мне! Я дам тебе денег, помогу подыскать квартиру, помогу и с работой. А с этим Германом я не советую тебе общаться... Не надо, чтобы ты виделась с человеком, который о тебе так много знает. Поверь мне, ваше общение ни к чему хорошему не приведет.

— А это уже не твое дело.

Я с трудом поднялась с дивана. Сказать, что я чувствовала полное опустошение — это не сказать ничего. Мне казалось, что я легла на диван молоденькой девушкой, а поднялась старой больной старухой.

— Так ты подпишешь документы? Ну нельзя же, чтобы тебя арестовали из-за такой глупости. Мы с Эрвином так старались!

— А я ведь думала, что ты с приветом, — призналась я, понимая, что и в этом признании уже нет никакого смысла.

Соня протянула мне коричневый конверт:

— Вот, возьми. Это деньги. На первое время. А завтра, если ты все же найдешь в себе силы побыть еще немного в моем обществе, мы пойдем в банк, где ты откроешь счет, и я лично переведу тебе пятьдесят тысяч евро. Может быть, после этого ты простишь меня. Не отказывайся.

Я с трудом дошла до двери, и меня стошнило едкой горечью. Я чувствовала, как здоровье медленно покидает меня. Смерть Тони — это было одно чувство. А его предательство — другое. Я физически не могла его перенести.

— Послушай. Мне надо срочно позвонить. Это очень важно. Мне кажется, что у меня что-то со здоровьем. Ты не могла бы мне дать телефон и оставить одну? Я позвоню родителям, — призналась я, с трудом сдерживаясь, чтобы не разрыдаться. — Чтобы в случае, если со мной что-то случится, они знали, где меня искать.

— Тебе что, так плохо? Может, вызвать врача?

— Говорю же, мне надо позвонить!

Я достала из кармана записную книжку, которую открывала в последний раз целую жизнь назад, нашла нужный номер и позвонила. Знаками я показала Соне, чтобы она вышла из комнаты. Не хотела, чтобы мой визит в прошлое происходил на глазах свидетеля.

Резкие длинные гудки действовали мне на нервы. Я даже не знала, что скажу этому человеку... просто понятия не имела. Но мне хотелось убедиться в том, что меня по-прежнему любят и всегда придут мне на помощь.

И вот, наконец, трубку сняли.

— Алло? — произнесла я осипшим от волнения голосом. — Фима, это ты?

— Он умер, — ответил мне незнакомый женский голос. — Его убили.

...Когда я очнулась, в доме было полно людей. Я не сразу поняла, где я: в какой стране, в каком городе?.. Даже декорации дома, в котором я провела последние дни, не произвела на меня особого впечатления. И только Германа, сидевшего на краешке постели, я восприняла как близкого и родного человека. Хоть бы он не совершил по отношению ко мне подлости...

— Что случилось? Где Соня? И кто все эти люди?

— Начнем с того, что ты потеряла сознание. Соня вызвала доктора, и он сделал тебе укол, после которого ты проспала почти десять часов.

— А где был ты?

— Я никуда не уезжал и все то время, что ты разговаривала с Соней, сидел в своей машине за воротами дома. Я видел, как приехал доктор, и прошел вместе с ним сюда. Я очень боялся за тебя!

— Так кто все эти люди?

— Эксперты-криминалисты. Соню арестовали. И это хорошо, что ты не видела и не слышала этой жуткой сцены. Представляешь, она кричала на весь квартал, что у тебя с этим садовником была связь, что это ты его убила, а потом затолкала в морозильную камеру. Это просто счастье, что тебе было плохо и все это прошло как бы мимо тебя.

Я тотчас вспомнила котлован и закрыла глаза. Да уж, мимо меня!

— Труп этого садовника нашли, представляешь? И никакой он не садовник! Уве Шолль. Безработный! Был любовником Сони. Она отравила его.

— А что будет со мной?

Герман посмотрел на меня как-то странно, потом пожал плечами:

— Думаю, у тебя все будет хорошо.

— А за что Соня его убила?

— Ведется следствие.

— Герман, ты так странно на меня смотришь. У меня что, новые неприятности? Меня высылают из страны или, наоборот, хотят посадить в тюрьму? Здесь, в Германии?

— Если ты подпишешь некоторые документы, думаю, тюрьма тебе не грозит... — Он вновь посмотрел на меня как-то странно.

— Значит, Соня-таки успела хоть что-то сделать для меня? Господи, какая же она странная и... опасная! Ты сегодня какой-то не такой, Герман. У меня такое чувство, как будто ты что-то знаешь и не хочешь мне говорить.

— Как ты себя чувствуешь, Наташа?

— Если честно — отвратительно. Слабость, тошнота. А что?

— Может, поедем ко мне? Или пойдем в ресторан, чем-нибудь перекусим, возьмем капусту, например? — Он улыбнулся, но улыбка его вышла какой-то искусственной, нервной.

— И меня выпустят из этого дома?

— Думаю, да. Конечно, с тобой еще будут беседовать, задавать тебе различные вопросы, но, пока в доме работает группа экспертов, я думаю, нам лучше посидеть где-нибудь в нейтральном месте.

— Что, Тони нашелся? — я сказала то, что думала и чего боялась больше всего. — Они его арестовали?

— Поднимайся. Я помогу тебе собраться.

— Что, и вещи с собой брать? Герман, что происходит?!

— Ты веришь мне?

— Очень хотелось бы, знаешь ли... я так устала от того, что все вокруг меня врут...

В голове моей была такая каша, что действительно, наверное, следовало выйти из душной, жарко протопленной спальни и оказаться на свежем воздухе.

Мы снова, как и сутки тому назад, шли по аллее, и мне казалось, что через пару минут послышится визг тормозов, и мы увидим мчащуюся на машине Соню.

Но за воротами скопилось и без того много машин. Я чувствовала себя как кувшин, из которого вылили всю воду.

— От кофе бы я не отказалась...

Герман помог мне сесть в машину, он был таким заботливым, нежным, но и это тоже почему-то настораживало меня. В машине я вдруг спросила:

— А где мой паспорт?

— Вот, держи. Я же вижу, ты чего-то боишься. Я не собираюсь отбирать у тебя документы и продавать тебя в рабство.

— Извини...

Мы сели за столик в том ресторане, где недавно познакомились. Герман заказал капусту с колбасой, а для меня — кофе и яблочный штрудель.

— Хочешь, я расскажу тебе, зачем Соня пригласила тебя в Германию? — неожиданно сказал он.

Я медленно повернула голову.

— Неужели последняя версия с Тони...

— Не последняя. И знаешь, почему? Потому что Соня Бехер — вовсе и не Соня Бехер! Ее зовут Рита. И я ее узнал! Как узнал ее и инспектор Крулль, понимаешь? Потому он и не спросил у нее документов.

— У нее что, фальшивые документы?

— Нет, как раз фальшивых документов-то у нее и нет. Это она перед Розой и перед тобой представлялась Софи Бехер. А с Розой даже не посчитала нужным проявить осторожность и постоянно говорила ей об Эрвине.

— Но зачем? Подожди, я ничего не понимаю!

— А затем, моя дорогая Наташа, что она не могла допустить, чтобы ты узнала ее настоящую фамилию.

— Герман, не пугай меня. Надеюсь, она — не Вьюгина?! Хотя она представилась моей сестрой.

Ее фамилия должна быть все же немецкой. Иначе мюнхенский комиссар вряд ли ее узнал бы.

— Если бы ты только знала, насколько прост и гениален тот сюжет, в который ты оказалась вовлечена! Другое дело, что ты оказалась девушкой-обманщицей.

— Что ты имеешь в виду?!

— А то, что я воспринимал тебя как незамужнюю девушку, а ты, оказывается, была замужем.

— Это не считается. И вообще, Герман, ни слова о драконах. Прошу тебя, не напоминай мне о Тони...

— Открой свой паспорт.

Я открыла. У меня был новенький российский, почти девственный паспорт.

— Какой чистый, новый, красивый! Ты когда его меняла в последний раз?

— Накануне своего неудачного так называемого замужества с Тони. Понимаешь, я потеряла свой паспорт в сауне. Вернее, я так думала. Потом оказалось, что он упал за диван. Так и получилось, что мне сделали новый, а потом я нашла старый, но решила не отдавать его в милицию. Но при чем здесь мой паспорт?!

— А ты не помнишь, чем отличался твой тот паспорт, который ты якобы потеряла, от этого?

— Нет, не помню. Герман, может, ты расскажешь мне, в чем дело? Ты пугаешь меня!

— Имя Иоахим тебе ни о чем не говорит?

— Нет... Вернее, ну как же! Ты же сам рассказывал, что это твой друг. Племянник Клементины.

— Фамилия Фогель тебе тоже ни о чем не говорит?

— Фогель? Постой. Я откуда-то знаю эту фамилию!

— Дело в том, дорогая Наташа, что ты — жена, вернее, теперь уже вдова Иоахима Фогеля. И твой брак с ним зарегистрирован три года тому назад в московском загсе...

И тут я вспомнила! Холодная московская осень. Маленькая авария, мой мотоцикл сильно пострадал, потребовались деньги на ремонт. К родителям обращаться было бессмысленно — все равно не дали бы, если бы узнали на что. И надо же было такому случиться, что как раз в это время мне позвонил Фима! Он сказал, что у него ко мне есть одно дело. Мы сидели с ним в пирожковой рядом с Савеловским вокзалом, я плакала, показывая ему разбитое колено, а он вдруг поцеловал его. Обтянутое джинсой колено. Фима сначала говорил мне о своей любви, а потом плавно перешел к делу. Оказывается, ему предложили хорошую работу, но туда, по его словам, брали только женатых работников. И мы договорились: оформим фиктивный брак за две тысячи долларов. Я посчитала это отличной сделкой, Фима договорился в загсе, нас быстренько расписали, и мы благополучно разъехались в разные стороны. Фима Фогель! Фима —

все звали его Фимой. В загсе я сказала, что оставлю девичью фамилию.

— Фима Фогель. Он и есть — Иоахим Фогель?! — Как странно было слышать это!

— Да. Это твой муж! Своей любимой тетке Клементине он написал, что женился в Москве на любимой девушке, — с грустью заметил Герман. — Так вот, оказывается, как женился бедный, несчастный Иоахим Фогель. Понимая, что ты никогда не полюбишь его и не выйдешь за него замуж нормально, по-человечески, он сделал тебя своей женой таким вот странным образом. Так я и знал, что что-то здесь не так! Думаю, ну не могла Наташа так меня обмануть.

— Фима. Он же — Иоахим Фогель. Вот это да! Герман... — Затылок мой заломило, и я даже застонала от боли. — Послушай. Или мне все это приснилось? Кажется, я вчера позвонила Фиме в Москву. Что-то мне так одиноко стало и грустно. Я знала, что Фима мне всегда поможет. Но какой-то женский голос ответил мне, что Фима умер, что его убили?!

— Помнишь, я тебе рассказывал историю Клементины? Вернее, ее завещания? Так вот. Она завещала все свое состояние и дом племяннику.

— Фиме... — Глаза мои наполнились слезами. Я поверить не могла, что речь идет о моем друге, о тихом, незаметном парне, который был в меня много лет влюблен и которого я не замечала настолько, что даже забыла, что вступила с ним в фиктивный брак — до такой степени это ничего для меня не значило.

— А его сестра, Рита, которая долгое время действительно прожила в Парагвае и вернулась оттуда не так давно, чтобы получить свою долю наследства, чуть с ума не сошла, узнав, что ее практически обошли. Она наняла Уве Шолля, чтобы тот поехал в Москву и убил ее брата (тогда она стала бы единственной наследницей Клементины), а когда узнала — думаю, из документов, — что он женат (представляешь, как она была потрясена?!), «заказала» и тебя. Но так случилось, что вместо тебя была убита совершенно другая Наталья Вьюгина. Шолль по ошибке убил другую Наташу Вьюгину! И я узнал об этом буквально сегодня утром — от комиссара Крулля. И, что самое тяжелое в этой истории, твоим родителям пришлось опознавать труп той девушки. Думаю, после того, как Рита поняла, как они оба ошиблись, ей и пришла в голову мысль — навестить твоих родителей в Москве, чтобы убедиться, что ты — это ты и что ты действительно знакома с Фогелем.

— Ты хочешь сказать, что Соня — это и есть Рита Фогель?!

— Да, она после замужества оставила свою девичью фамилию. Думаю, после всего того, что сделал для нее Уве, «садовник», отношения их разладились. Возможно, она ему мало заплатила, или же он стал предъявлять свои права на нее. Но одно ясно — от него надо было срочно избавляться. Но дело-то не было закончено! Ведь ты теперь — прямая наследница своего мужа, Иоахима. Убивать тебя — это слишком сложно. Да и опасно! И так уже на ней висят два убийства, плюс предполагаемое убийство самого исполнителя. Вот она и решила выманить тебя сюда и заставить подписать два простых документа. Первый — твое вступление в наследство, а второй — генеральная доверенность на имя Риты Фогель на ведение всех твоих дел и право твоей подписи.

— Ты хочешь сказать, что те документы, которые мне вчера зачитывали и переводили...

— Да все это была чушь с самого начала! Я сразу это понял, поскольку никто таким образом не может получить разрешение на проживание в Германии.

— Герман, но как ты догадался?!

— Так ты же мне оставила свои документы! Когда я их прочитал, сразу и понял, что ты — без пяти минут наследница Праунхаймов! Я и сам до сих пор не могу прийти в себя от удивления. То-то я чувствую, что эта история с Соней была шита белыми нитками — никакой логики, никаких мотивов. Все непонятно!

— А Тони? Он жив?

— Да не знала она никакого Тони! Она все это выдумала, лишь бы ты осталась рядом с ней вместе со всеми этими бумагами! Ей важно было, чтобы ты поставила везде свои подписи. А Тони — это твоя история, просто она решила ее использовать. Надеюсь, тебя это утешит?

— Но он... жив?

— Понятия не имею. А это сейчас так важно?

— Выдумала. Надо же! А я поверила. Герман, дорогой, у меня голова кругом идет. Мне кажется, что это сон. Постой. Ты знаешь, она угостила меня кофе, и я уснула...

— Вот этого-то я и боялся больше всего! Понимаешь, пока она ждала прихода нотариуса и своего мужа, Эрвина, который на самом деле является профессиональным переводчиком и который был якобы нанят Соней для того, чтобы завещание Клементины перевели на русский язык. Так вот, пока она ждала их, шло время, и она боялась, что вы договоритесь до ссоры и ты уйдешь. И, чтобы как-то задержать тебя, она напоила тебя снотворным, я думаю.

— Да-да. Когда я проснулась, эти двое мужчин уже сидели рядом и ждали, когда я открою глаза. Выходит, мне зачитывали завещание Клементины, а Эрвин переводил мне все так, словно это был документ, позволяющий мне какое-то время жить в Германии?! То-то я чувствовала, что он несет какую-то чушь и путается в словах. Да он просто на ходу сочинял текст несуществующего документа!!!

Я глубоко вздохнула. Голова моя кружилась.

— Но какая же дурища эта Соня! Вернее, Рита! Так долго морочить мне голову какими-то куклами, разыгрывать меня. Зачем?! Неужели нельзя было придумать что-нибудь более действенное, чтобы заставить меня подписать эти документы?

— Знаешь, я тоже думал об этом. Оказывается, это было не так-то просто — придумать причину, которая могла бы заставить тебя оставаться какое-то время в доме да еще и подружиться с Соней. Ты попробуй придумать другой вариант как-нибудь на досуге!

Понятное дело, я была возбуждена, я засыпала Германа многочисленными вопросами, смеялась, шутила — нервно, глупо. Пока вдруг не услышала:

— Я пошутил. Слышишь, Наташа, я пошутил! И никакая ты не наследница.

Я уронила кусок яблочного штруделя в чашку с остывшим кофе:

— Как это?!

— Я — наследник. И это я сделал так, чтобы ты сюда приехала.

...Я смеялась до слез. Потом мы вышли из ресторана и долго гуляли по вечерним сырым улицам Мюнхена, держась за руки. Иногда из темноты появлялось чье-то бледное лицо, и мне казалось, что это Тони, или Соня, или даже Нуртен. А во всех собаках я видела своего Тайсона.

— Я должна позвонить. Герман, можно, я воспользуюсь твоим телефоном?

— Конечно. Родителям собираешься звонить?

— Нет. Сначала Нуртен, потом Нежмие. Ну и родителям, потом. Послушай, Герман. Я вспомнила. Вспомнила, где видела раньше Соню! Вернее, Риту. У Фимы дома стояла фотография в рамке, где они были сняты вдвоем. Теперь-то я понимаю, что это были они — брат с сестрой! Я же чувствовала, чувствовала, что где-то ее видела!

— А тебе совсем неинтересно, — мягко перебил меня Герман, — какое наследство тебе досталось от твоего мужа?

— Так ведь — дом, — пожала я плечами. — Дом Клементины. Просто не верится! Сказка какая-то...

— Дом и несколько миллионов евро. Кажется, пять, — сказал он, четко проговаривая каждое слово.

— Ско-о-олько?! — тяжелый болезненный сон продолжался.

Уже у него дома, за чаем, который мы пили в его кухне, Герман достал из кармана мятую газетную вырезку, разложил ее на столе.

— Вот, нашел случайно в вашем доме. Наступил, можно сказать, на нее. Все читаю, перечитываю, но ничего не понимаю! Какое отношение это могло иметь к твоей родственнице Рите?

«Мюнхенская полиция в среду поймала женщину, попытавшуюся ограбить шесть банков в течение менее трех часов. Как сообщает Associated Press, грабительницу выследили и арестовали в парикмахерской. В операции принимали участие сотни полицейских. Тридцатитрехлетней преступнице, имени которой полиция не раскрывает, удалось украсть четыре тысячи девятьсот семьдесят пять долларов из четырех банков, расположенных в центре южногерманского города. Однако в двух отделениях банков ей не посчастливилось, несмотря на то что женщина была вооружена пистолетом. По сведениям полиции, на ней был черный плащ и она была без маски...»

— Думаю, такое же, как и эта вырезка. — Я достала из кармана джинсов другой клочок газеты, который подобрала в садовом домике. — Вот, почитай. «Прокуратура Берлина выдала ордер на арест медсестры клиники «Шарите», подозреваемой в убийстве нескольких пациентов. Об этом в прямом эфире новостного телеканала №24 сообщил официальный представитель берлинской прокуратуры Михаэль Грунвальд. Он рассказал, что, по данным предварительного расследования, медсестра отделения интенсивной терапии кардиологического блока убила как минимум двух тяжелобольных пациентов...» Думаю, она черпала силы в этих криминальных колонках. Я не удивлюсь, если после того, как ее посадят и у меня будет возможность осмотреть дом, я найду еще целую сотню подобных вырезок.

...Я вдруг встала, подошла к Герману и положила голову ему на грудь. Я плакала и не могла остановиться. Я вдруг представила себе жизнь этого чудака-физика, Фимы Фогеля (думаю, никто из нас и не знал его настоящего имени), его безграничную любовь ко мне и ту сомнительную радость по случаю его женитьбы на девушке, сделавшей это за деньги, которые ей понадобились, чтобы отремонтировать мотоцикл. Какая пошлость! И какая жалость, что я не вышла за него замуж по-человечески...

Я подняла мокрое лицо, и Герман протянул мне платок.

— Брак фиктивный, — только и произнес он.

— Знаю, что фиктивный. Не думаю, что наследство останется у меня и что Рита не попытается отсудить свою долю, — предположила я. — Как ты думаешь?

— Посмотрим. Не забывай, что я адвокат! К тому же кто знает, что брак был фиктивным?

Об этом знали только мы с Фимой, подумала я, но ничего не сказала...

Содержание

Литературно-художественное издание

CRIME & PRIVATE

Данилова Анна Васильевна

ТРИНАДЦАТАЯ ГОСТЬЯ

Ответственный редактор *О. Рубис*
Редактор *С. Догаева*
Художественный редактор *В. Щербаков*
Технический редактор *Г. Романова*
Компьютерная верстка *Е. Мельникова*
Корректор *Л. Фильцер*

ООО «Издательство «Эксмо»
123308, Москва, ул. Зорге, д. 1. Тел. 8 (495) 411-68-86, 8 (495) 956-39-21.
Home page: **www.eksmo.ru**   E-mail: **info@eksmo.ru**

Өндіруші: «ЭКСМО» АҚБ Баспасы, 123308, Мәскеу, Ресей, Зорге көшесі, 1 үй.
Тел. 8 (495) 411-68-86, 8 (495) 956-39-21
Home page: www.eksmo.ru   E-mail: info@eksmo.ru.
Тауар белгісі: «Эксмо»
Қазақстан Республикасында дистрибьютор және өнім бойынша
арыз-талаптарды қабылдаушының
өкілі «РДЦ-Алматы» ЖШС, Алматы қ., Домбровский көш., 3«а», литер Б, офис 1.
Тел.: 8 (727) 2 51 59 89,90,91,92, факс: 8 (727) 251 58 12 вн. 107; E-mail: RDC-Almaty@eksmo.kz
Өнімнің жарамдылық мерзімі шектелмеген.
Сертификация туралы ақпарат сайтта: www.eksmo.ru/certification

Сведения о подтверждении соответствия издания
согласно законодательству РФ о техническом регулировании
можно получить по адресу: http://eksmo.ru/certification/

Өндірген мемлекет: Ресей
Сертификация қарастырылмаған

Подписано в печать 24.01.2014. Формат 84x108¹/₃₂.
Гарнитура «Таймс». Печать офсетная. Усл. печ. л. 15,12.
Тираж 4 500 экз. Заказ 726

Отпечатано с готовых файлов заказчика
в ОАО «Первая Образцовая типография»,
филиал «УЛЬЯНОВСКИЙ ДОМ ПЕЧАТИ»
432980, г. Ульяновск, ул. Гончарова, 14

ISBN 978-5-699-70091-2